W9-CTZ-172

CHRISTIAN BOURGOIS ÉDITEUR
8, rue Garancière - Paris VIe

MONTERIANO

PAR
E.M. FORSTER

Traduit de l'anglais
par Charles MAURON

10|18

Série «Domaine étranger»
dirigée par Jean-Claude Zylberstein

PLON

Titre original :
Where Angels Fear to Tread

© The Provost and Scholars
of King's College, Cambridge, et
Librairie Plon 1954 pour
la traduction française
ISBN 2-264-00463-0

CHAPITRE PREMIER

Ils étaient tous venus à Charing Cross assister au départ de Lilia : Philippe, Harriet, Irma, Mrs. Herriton en personne. Mrs. Theobald avait même fait, au bras de Mr. Kingcroft, le voyage du Yorkshire pour embrasser sa fille unique. Or, de son côté, Miss Abbott n'avait pas une suite familiale moins imposante. A la vue de tant de personnes, qui disaient à la fois des choses différentes, Lilia fut saisie d'un irrésistible fou-rire.

— C'est un triomphe, cria-t-elle, vautrée sur le rebord de la portière. On va nous prendre pour des princesses du sang. Oh ! Mr. Kingcroft, trouvez-nous des bouillottes.

Le bon jeune homme partit en courant. Philippe, aussitôt, prit sa place pour lâcher sur la voyageuse un ultime déluge d'avis et d'injonctions. Ayant tout récapitulé — où descendre,

comment apprendre l'italien, quand déployer sa
moustiquaire, enfin quels tableaux regarder, il
conclut :

— Vous ne connaîtrez le pays qu'en quittant
les pistes battues, ne l'oubliez jamais. Visitez les
petites villes — Gubbio, Pienza, Cortona, San
Gimignano, Monteriano. Et surtout, je vous en
supplie, laissez aux touristes cet affreux préjugé
que l'Italie est un musée d'antiquités et d'œuvres
d'art. Aimez les Italiens, comprenez-les : car les
gens, là-bas, sont plus merveilleux que leur terre.

— Quel dommage que vous ne veniez pas, Philippe ! dit-elle. (L'attention inusitée que lui ac-
cordait son beau-frère la flattait.)

— Je voudrais bien.

En vérité, il aurait pu le faire sans grande difficulté. Son activité, au bureau, n'était pas si
intense qu'elle ne pût s'accommoder de vacances
occasionnelles. Mais ses perpétuels voyages sur le
Continent déplaisaient à sa famille et lui-même
n'était pas fâché, quelquefois, de se croire trop
affairé pour quitter Londres.

— Au revoir, chers tous ! La tête me tourne !

Soudain, elle aperçut Irma, sa petite fille : l'occasion, elle le sentit, exigeait un rien de solennité
maternelle.

— Au revoir, ma chérie. Tâche d'être bien
sage, obéis toujours à Bonne-Maman.

« Bonne-Maman » n'était pas la mère, mais la

oelle-mère de Lilia, Mrs. Herriton, qui détestait qu'on l'appelât ainsi.

Irma, tendant vers le baiser un minois sérieux, dit prudemment :

— J'essaierai.

— Assurément, elle sera sage, dit Mrs. Herriton, immobile et pensive, un peu à l'écart de ce brouhaha.

Mais déjà Lilia appelait Miss Abbott. Grande, l'air grave et distingué, la jeune fille, sur le quai, accomplissait avec plus de pompe la cérémonie des adieux.

— Caroline, ma petite Caroline ! Sautez vite : votre chaperon va partir sans vous !

Philippe, cependant, s'était remis à discourir. L'Italie l'enivrait toujours. Il exaltait pour sa belle-sœur les moments suprêmes du voyage qu'elle allait faire : et d'abord, ce serait, comme un présage, le campanile d'Airolo qui bondirait vers elle au débouché du Saint-Gothard ; la vue du lac Majeur et du Tessin, quand le train gravirait la pente du Monte-Ceneri ; la vue de Lugano, la vue de Côme ; l'Italie bientôt partout autour d'elle — et l'arrivée, enfin, à ce premier lieu de repos, lorsque, après une longue course en voiture par des rues noires et sordides, elle contemplerait, dans le grondement des tramways et l'éclat des lampes à arc de Milan, les contreforts de la cathédrale.

— Les mouchoirs et les cols sont dans mon

coffret marqueté! cria Harriet d'une voix per-
çante. Je t'ai prêté mon coffret marqueté.

— Ma bonne vieille Harry!

Elle embrassa de nouveau tout le monde, puis
un silence s'établit. Tous souriaient avec cons-
tance, hormis Philippe, que le brouillard faisait
tousser, et Mrs. Theobald qui pleurait déjà.
Miss Abbott entra dans le wagon. Le contrôleur
en personne, fermant la portière, dit à Lilia que
tout irait bien. Puis, le train s'ébranlant, tous,
parallèlement, s'ébranlèrent avec de petits cris
joyeux et des secouements de mouchoirs. A cet
instant, Mr. Kingcroft réapparut, chargé d'une
bouillotte qu'il tenait à deux mains, comme un
plateau. Il s'excusa, navré de son retard, et cria
d'une voix tremblante :

— Au revoir, Mrs. Charles! Amusez-vous bien
et que Dieu vous bénisse.

Lilia inclina la tête en souriant, et soudain —
non, cette bouillotte! — le fou rire la ressaisit.

— Oh, pardon, lança-t-elle, vous êtes si drôle!
Vous êtes tous si drôles à secouer vos mouchoirs!
Oh, finissez!

Pouffant de rire, elle s'évanouit dans le brouillard.

— Bon moral pour entreprendre un si long
voyage, dit Mrs. Theobald en se tamponnant les
yeux.

Mr. Kingcroft, en signe d'agrément, balança
une tête solennelle.

— J'aurais bien voulu, dit-il, pouvoir donner cette bouillotte à Mrs. Charles. Ces porteurs londoniens n'ont aucun égard pour un homme de la campagne.

— Vous avez fait de votre mieux, dit Mrs. Herriton. Et, ma foi, je vous trouve admirable, simplement, d'avoir amené Mrs. Theobald jusqu'ici, de si loin, par un temps pareil.

Sur quoi, avec une certaine hâte, elle serra la main de Mr. Kingcroft et partit, le laissant ramener tout aussi loin la même Mrs. Theobald.

On va aisément de Londres à Sawston, où Mrs. Herriton avait sa demeure ; ils y arrivèrent encore pour le thé. Servi dans la salle à manger, il comportait un œuf pour Irma, dont le moral devait être soutenu. Un calme étrange régnait dans la maison après ces deux semaines d'affairement et la conversation se déroula par à-coups, à mi-voix : les voyageuses étaient-elles déjà à Folkestone ? la mer serait-elle mauvaise ? et que ferait alors cette pauvre Miss Abbott ?

— Bonne-Maman, quand arrivera-t-il en Italie, le vieux vaisseau ? demanda Irma.

— « Grand-Maman », ma chérie — pas « Bonne-Maman », dit Mrs. Herriton en l'embrassant. Et il faut dire « un bateau » ou « un paquebot », pas un « vaisseau ». Les vaisseaux ont des voiles. Et Maman ne fait pas tout le voyage par mer. Regarde la carte d'Europe et tu verras pourquoi.

Harriet, mène-la. Va, ma chérie, tante Harriet te
montrera la carte.

— Chic, dit la petite fille.

Elle partit, traînant vers la bibliothèque une
tante sans enthousiasme. Mrs. Herriton et son fils
demeurèrent donc seuls. Une intimité immédiate
s'établit entre eux.

— Une vie nouvelle commence ici, dit Philippe.

— Pauvre petite, quelle vulgarité ! murmura
Mrs. Herriton. Je m'étonne qu'elle ne soit pas pire.
Elle a, malgré tout, quelque chose du pauvre
Charles.

— Hélas ! quelque chose aussi de la vieille
Mrs. Theobald. Quelle apparition, celle-là ! Je la
croyais non seulement idiote, mais grabataire.
Pourquoi diable est-elle venue ?

— Mr. Kingcroft a tout machiné. J'en suis
sûre. Il voulait revoir Lilia et c'était le seul moyen.

— Eh bien ! il est heureux, j'espère. Ma belle-
sœur elle-même n'a pas montré beaucoup de distinction dans ses adieux, à mon avis.

Mrs. Herriton frissonna d'horreur.

— Je passe sur tout, puisqu'elle est partie, —
et partie avec Miss Abbott. Qu'une veuve de
trente-trois ans ait besoin d'une jeune fille de
vingt-trois pour veiller sur elle, c'est tout de même
fort.

— Je plains Miss Abbott. Par bonheur, un ad-
mirateur au moins reste rivé à l'Angleterre : les

moissons, le climat, bref quelque chose y retient
Mr. Kingcroft. D'ailleurs, je ne crois pas qu'il ait
augmenté ses chances, aujourd'hui. Tout comme
Lilia, il a le don d'être ridicule en public.

— Quand un homme, répondit Mrs. Herriton,
manque d'éducation, de naissance, de beauté, d'intelligence et de fortune, Lilia elle-même peut bien
finir par l'écarter.

— Non. Je pense qu'elle prendrait n'importe
qui. Au dernier moment, ses malles bouclées, elle
misait encore sur le pasteur dépourvu de menton.
Non... les deux pasteurs sont dépourvus de menton. Celui de Lilia a seulement les mains plus
moites. Je suis tombé sur eux dans le parc. Ils
conversaient sur le Pentateuque.

— Mon cher enfant ! Elle est devenue pire de
jour en jour, si possible. Ton idée d'un voyage en
Italie nous a sauvés !

Ce petit compliment illumina Philippe.

— Le plus étrange, c'est qu'elle a saisi mon
idée au vol — me posant une infinité de questions,
auxquelles j'ai répondu volontiers, bien sûr. Elle
a l'esprit bourgeois, je l'admets, elle est d'une
ignorance crasse et possède, en art, un goût détestable. Mais posséder un goût, c'est déjà quelque
chose. L'Italie le purifiera : elle ennoblit tous ses
visiteurs. Elle est, pour le monde, une école autant
qu'un jardin. Il faut mettre au crédit de Lilia
son désir d'aller en Italie.

— Elle irait n'importe où, dit Mrs. Herriton, qui avait déjà trop entendu louer l'Italie. Nous avons eu toutes les peines du monde à la détourner de la Riviera, Caroline Abbott et moi.

— Non, Maman, non. Elle avait une envie sincère de connaître l'Italie. Ce voyage est un point critique dans sa vie.

La situation, pour Philippe, offrait un romanesque baroque. A la pensée que cette femme vulgaire traverserait des lieux qu'il aimait religieusement, il éprouvait comme un mélange d'attrait et de dégoût. Pourquoi ne serait-elle pas transfigurée? Les Goths l'avaient bien été !

Mrs. Herriton ne croyait ni au romanesque, ni à la transfiguration, ni aux parallèles tirés de l'histoire ; elle ne croyait même à rien qui troublât la vie domestique. Adroitement, elle changea de sujet avant que l'enthousiasme ait saisi Philippe. Bientôt, Harriet revint, la leçon de géographie terminée. Irma, mise au lit de bonne heure, y fut bordée par sa grand-maman. Les deux dames prirent leurs ouvrages, puis les cartes. Philippe se plongea dans un livre. L'existence quiète et fructueuse où ils s'installaient ainsi devait se prolonger tout cet hiver.

Il y avait maintenant dix ans que Charles était tombé amoureux de Lilia Theobald parce qu'elle était jolie. Pendant cette période, Mrs. Herriton n'avait guère connu un instant de repos. Six mois durant, elle avait manœuvré pour empêcher le mariage et, ce dernier une fois conclu, elle avait entrepris une autre tâche — la surveillance de sa belle-fille. Il fallait pousser Lilia à travers l'existence sans lui permettre de déshonorer la famille où elle était entrée. Ses enfants l'y avaient aidée : Charles lui-même, Harriet, et enfin, aussitôt qu'il en eut l'âge, Philippe, l'intellectuel de la famille. La naissance d'Irma avait rendu les choses encore plus difficiles. Par bonheur, la vieille Mrs. Theobald, qui avait essayé d'intervenir, déclina. Sortir de Whitby lui était pénible et Mrs. Herriton fit de son mieux pour rendre l'effort plus pénible encore. La curieuse bataille dont chaque bébé est l'enjeu fut engagée et gagnée rapidement. Irma appartint à la famille de son père, non de sa mère.

Charles mourut. La bataille reprit. Lilia voulut s'affirmer et prétendit que son devoir était d'aller soigner Mrs. Theobald. Pour l'en dissuader, Mrs. Herriton dut mettre en œuvre toute son amabilité. On finit par louer une maison à Sawston et Lilia y demeura trois ans avec Irma — trois ans pendant lesquels la famille de son mari exerça sur elle, de façon constante, ses influences éducatrices.

Une de ses rares visites dans le Yorkshire fit surgir de nouveaux ennuis. Lilia dit à une amie, en confidence, que sans être précisément fiancée à un certain Mr. Kingcroft, elle éprouvait pour lui une vive inclination. Mrs. Herriton l'apprit. Elle écrivit sur l'heure — désirant, dit-elle, être renseignée, et soulignant que Lilia devait être fiancée ou ne l'être point, car il n'existe pas d'état intermédiaire. C'était une bonne lettre : elle démonta Lilia. Sans même attendre la pression d'un émissaire, la jeune femme, abandonnant Mr. Kingcroft, prit, tout en pleurs, le chemin du retour et s'en vint demander pardon. Mrs. Herriton saisit l'occasion et parla, cette fois, très sérieusement, des devoirs qu'imposent maternité et veuvage. Mais toujours, désormais, quelque chose grinça. Lilia refusa de prendre place parmi les matrones de Sawston. Détestable ménagère, elle était toujours dans les transes d'une crise que Mrs. Herriton devait résoudre (elle qui gardait ses domestiques pendant des années). Lilia laissait Irma manquer l'école pour des motifs futiles et lui permettait de porter des bagues. Afin de « réveiller » un peu Sawston, elle avait acquis une bicyclette : on la vit, un dimanche soir, dévaler toute la grand-rue en roue libre et culbuter enfin au tournant de l'église. De toute autre qu'une parente, la chose eût été drôle. Mais Philippe lui-même, qui, en théorie, aimait rompre de furieuses lances contre les préjugés anglais, s'éleva, en cette occasion, à la hauteur des circonstances et fit à sa belle-sœur un sermon dont elle se souvint jusqu'à son dernier jour. Au même instant, d'ailleurs, on découvrit qu'elle permettait à Mr Kingcroft de lui écrire,

« en ami », et de faire des cadeaux à Irma.

Philippe, alors, pensa à l'Italie et sauva ainsi la situation. Caroline — la charmante et sensée Caroline Abbott — qui demeurait à quelques pas, recherchait une compagne pour un voyage d'une année. Lilia avait donc résilié son bail, vendu la moitié de ses meubles et, laissant l'autre part, avec Irma, aux soins de Mrs. Herriton, venait d'abandonner Sawston pour un autre théâtre, à l'applaudissement de tous.

Elle leur écrivit fréquemment, cet hiver, plus fréquemment qu'à sa propre mère. Tout allait au mieux dans ses lettres. Florence fut jugée délicieuse ; Naples, un rêve (mais bien malodorant) à Rome, il ne fallait que s'asseoir et vibrer. Philippe n'en déclara pas moins qu'elle s'améliorait. Il se montra plus satisfait encore quand, le printemps venu, Lilia entreprit de visiter les petites villes qu'il lui avait recommandées. « Ici, écrivait-elle, on se sent véritablement au cœur des choses, à l'écart des pistes battues. Quand je regarde, tous les matins, à travers ma fenêtre gothique, il me semble impossible que le moyen âge se soit évanoui. » Datée de Monteriano, la lettre se terminait par une description assez joliment tournée de cette merveilleuse petite ville.

— Elle paraît contente, c'est déjà quelque chose, dit Mrs. Herriton. Mais qui ne gagnerait à passer trois mois auprès de Caroline Abbott ?

A Irma, rentrant de l'école, Mrs. Herriton lut la lettre de sa mère, non sans corriger avec soin les erreurs grammaticales, l'autorité parentale devant être loyalement respectée. Irma écouta poliment, puis passa bien vite au hockey, qui l'absorbait alors tout entière. On allait, cet après-midi, choisir au vote les couleurs — jaune et blanc ou jaune et vert. Quelle était l'opinion de Grand-Maman?

Mrs. Herriton avait son opinion, comme de juste, et elle l'exposa fort posément, malgré Harriet, qui jugeait inutiles des couleurs pour les enfants, et Philippe, qui les jugeait laides. Elle devenait fière d'Irma, qui s'était améliorée, sans nul doute, et ne méritait plus qu'on l'appelât « cette horreur des horreurs : une enfant vulgaire ». Elle voulait surtout former Irma avant le retour de sa mère. Bien loin, par suite, de s'opposer aux flâneries des voyageuses, elle leur suggéra de prolonger cette année de séjour si cela leur convenait.

La lettre suivante était encore datée de Monteriano. L'enthousiasme de Philippe grandit.

— Elles y sont restées plus d'une semaine ! s'écria-t-il. Ma foi, je n'aurais pas fait davantage. Il faut vraiment qu'elles y aient pris goût, car l'hôtel n'est pas des plus confortables.

— Moi, je ne comprends pas, dit Harriet. Que peuvent-elles faire tout le jour? D'ailleurs, il n'y a pas d'église, je suppose.

— Il y a Santa Deodata, l'une des plus belles églises d'Italie.

— Je parle d'une église anglicane, dit Harriet sèchement. Lilia m'a promis d'être chaque dimanche dans une grande ville.

— Si Lilia assiste à un service de Santa Deodata, elle y trouvera plus de beauté et de sincérité que dans toutes les arrière-boutiques d'Europe.

« Arrière-boutique » était le surnom que Philippe donnait à Saint-James, le temple étroit et triste que patronnait particulièrement sa sœur. Tout manque d'égard envers Saint-James froissait Harriet et Mrs. Herriton dut intervenir.

— Non, mes enfants, je vous en prie — écoutez la lettre de Lilia.

« Je ne dirai jamais assez ma gratitude à Philippe pour son conseil. Nous adorons cet endroit. Il n'est pas seulement d'une originalité saisissante : on y voit les Italiens au naturel, avec leur simplicité et leur charme. Les fresques sont admirables. Caroline, qui est chaque jour plus exquise, dessine sans arrêt. »

— Chacun son goût, dit Harriet, qui décochait toujours les lieux communs comme des épigrammes. Elle avait adopté une attitude curieusement virulente envers l'Italie, qu'elle ne connaissait pas d'ailleurs, son seul contact avec le Continent ayant été, de temps à autre, une visite de six semaines en Suisse protestante.

— Une vaurienne, cette Harriet ! dit Philippe, aussitôt que sa sœur fut sortie. Sa mère, en riant, le gronda et l'entrée d'Irma, partant pour l'école, arrêta toute discussion. Ce n'est pas seulement dans les brochures de piété que l'enfant apporte la paix.

— Une minute, Irma, dit son oncle. Je vais à la gare. Tu auras le plaisir de faire route avec moi.

Ils partirent ensemble. Irma était contente, mais la conversation tomba : Philippe ne savait pas parler aux jeunes. Cependant, à la table où ils avaient déjeuné, Mrs. Herriton s'attardait, relisant la lettre de Lilia. Puis elle aida la cuisinière à desservir, arrêta le menu du repas et lança la femme de chambre dans un grand nettoyage du salon, car le mardi était son jour. Il faisait beau et elle résolut de jardiner un peu, puisqu'elle avait du temps devant elle. Elle appela donc Harriet, remise de l'affront infligé à Saint-James, et toutes deux se mirent à semer dans le potager des légumes précoces.

— Nous garderons les pois pour la fin, rien d'amusant comme les pois, dit Mrs. Herriton, qui avait l'art de rendre le travail divertissant. Elle et sa fille aînée s'entendaient toujours bien, quoiqu'elles n'eussent pas grand-chose en commun. L'éducation d'Harriet avait presque trop réussi. Selon l'expression de Philippe, elle avait « gobé » d'un seul coup toutes les vertus cardinales et n'arrivait pas à les digérer. Pieuse et patriote, elle accroissait le capital moral de la maison, mais manquait de ce tact et de cette souplesse que Mrs. Herriton, qui les estimait fort, aurait voulu lui voir acquérir. Harriet, si sa mère le lui avait permis, eût provoqué une rupture avec Lilia et — pis encore — avec Philippe lui-même lorsque, voici deux ans, le jeune homme était revenu plein de passion pour l'Italie et de mépris railleur pour la vie sawstonienne.

— C'est une honte, mère ! s'était-elle écriée. Philippe ridiculise tout — le Cercle de lecture, le Club des débats, le Whist du progrès, les ventes de charité. Les gens n'aimeront pas cela. Notre réputation est en jeu. Une maison divisée contre elle-même s'écroule.

A quoi Mrs. Herriton avait répondu par ces mots mémorables :

— Laissons parler Philippe, il nous laissera faire.

Elles semèrent leurs légumes, en commençant par les moins drôles, et c'est avec l'heureuse fatigue du devoir accompli qu'elles se tournèrent vers les pois. Harriet tendit une ficelle pour aller bien droit et Mrs. Herriton, d'un bâton pointu, traça le sillon. Au bout du sillon, elle consulta sa montre.

— Midi ! Le second courrier est passé. Cours chercher les lettres, s'il y en a.

Harriet n'en avait pas envie.

— Finissons les pois. Il n'y aura point de lettres.

— Non, chérie, va. Je sèmerai les pois, tu les recouvriras. Et prends garde que les oiseaux n'en voient aucun.

Mrs. Herriton s'appliquait à laisser ruisseler les pois de sa main avec beaucoup d'égalité. Arrivée au bout de la ligne, elle put se dire qu'elle ne les avait jamais si bien semés. Ils étaient chers, d'ailleurs.

— Il y a bien une lettre — la vieille Mrs. Theobald ! dit Harriet en revenant.

— Lis donc. J'ai les mains sales. Affreux, ce papier à en-tête.

Harriet déchira l'enveloppe.

— Je n'y comprends rien, dit-elle ; cela n'a pas de sens.

— Ses lettres n'en ont jamais eu.

— Mais celle-là doit être plus stupide encore, dit Harriet, et sa voix se mit à trembler. Tiens, Maman, lis ; pour moi, cela n'a ni queue, ni tête.

Mrs. Herriton prit la lettre avec indulgence.

— Où est donc ta difficulté? dit-elle, après un long silence. Qu'est-ce qui t'arrête?

— Le sens... balbutia Harriet.

Les moineaux, qui s'étaient approchés en sautillant, commençaient à lorgner les pois.

— Le sens est parfaitement clair — Lilia s'est

fiancée. Ah ! ne pleure pas ; fais-moi le plaisir de ne pas pleurer — ne parle pas, voilà tout. C'est vraiment intolérable. Elle va épouser quelqu'un qu'elle a rencontré dans un hôtel. Tiens, prends la lettre et lis pour toi.

Soudain, elle perdit sa retenue, sur un point qui pouvait paraître secondaire.

— Elle a eu le toupet de ne pas m'informer directement ! Elle a écrit d'abord dans le Yorkshire ! Ainsi, moi, j'apprends la nouvelle de Mrs. Theobald — par une lettre rédigée sur ce ton, avec cette insolence ! Compté-je donc pour rien? Tu es témoin, n'est-ce pas? (elle étouffait de rage) — tu es témoin : voilà ce que je ne lui pardonnerai jamais.

— Que faire? gémit Harriet. Que faire?

— *Primo :* ceci ! (Elle déchira la lettre en menus morceaux et les éparpilla sur la plate-bande.) *Secundo :* télégramme à Lilia ! Non ! télégramme à Miss Caroline Abbott. Elle aussi me doit des explications.

Elle prit le chemin de la maison.

— Que faire? répétait derrière elle sa fille. Pareille effronterie démontait Harriet. Sur quoi — sur qui, Seigneur, avait pu tomber Lilia? « Quelqu'un dans l'hôtel. » La lettre n'en disait pas davantage. Quel genre? Gentleman? Anglais? La lettre n'en disait rien.

« Télégraphiez raison séjour prolongé Monteriano. Étranges rumeurs, » lut Mrs. Herriton ; elle

ajouta l'adresse : « Abbott, Stella d'Italia, Monteriano, Italie. » S'il y a là-bas un bureau de poste,
nous pourrions recevoir une réponse ce soir.
Puisque Philippe revient à sept heures et puisque le
train de huit heures quinze attrape le bateau de
minuit à Douvres... Harriet, en chemin, passe à la
banque et retire cent livres en coupures de cinq
livres.

— Mais pourquoi... qu'est-ce que...

— Va, chérie, tout de suite ; pas un mot. Je vois
arriver Irma ; va vite... Eh bien ! ma chère enfant,
dans quelle équipe joues-tu cet après-midi ? —
celle de Miss Edith ou celle de Miss May ?

Ayant ainsi accueilli normalement sa petite-
fille, elle gagna en hâte la bibliothèque et y ouvrit
le grand atlas : il fallait s'informer sur Monteriano.
Elle trouva le nom, en caractères minuscules, au
beau milieu d'une tache bistrée — un enchevêtre-
ment de collines que l'atlas nommait les « Sub-
Apennins ». Ce n'était pas très loin de Sienne, dont
Mrs. Herriton avait appris le nom à l'école. Une
toute petite ligne, tortueuse, noire, hérissée comme
une scie, passait par le point de la ville : il y avait
donc un chemin de fer. La carte, cependant, laissait un large champ à l'imagination et Mrs. Herriton n'en avait aucune. Elle chercha le nom dans
Childe-Harold, mais Byron n'était point passé par
là. Mark Twain non plus, dans son *Voyage d'un
trimard en Europe*. Toute ressource littéraire fai-

sant ainsi défaut, il ne restait qu'à attendre Philippe. Philippe? — tiens, dans la chambre de Philippe, peut-être. Elle y trouva *l'Italie centrale*, par Baedeker, l'ouvrit (pour la première fois) et lut :

« *Monteriano* (hab. 4 800) hôtels : Stella d'Italia, seulement passable ; Globo, sale. * Café Garibaldi. Poste et télégraphe : Corso Vittorio Emmanuele, à côté du théâtre. Cartes postales chez Seghena (moins chères à Florence). Diligence (1 lire) assure correspondance avec principaux trains.

« Principales curiosités (2-3 heures) : Santa Deodata, Pallazzo Pubblico, Sant'Agostino, Santa Caterina. Sant'Ambrogio, Palazzo Capocchi. Guide (2 lires) superflu. Tour des remparts absolument indispensable. Vue de la Rocca (petit pourboire) surtout belle au soleil couchant.

« Histoire : Monteriano, le Mons Rianus de l'Antiquité, et dont les tendances gibelines furent notées par Dante (Purg. XX), s'émancipa de Poggibonsi en 1261. D'où le distique « Poggibonsi, fatti in là, che Monteriano si fa città ! », lisible, il y a peu de temps encore, sur la porte de Sienne. La cité demeura indépendante jusqu'en 1530. Mise à sac par les troupes du pape, elle fut enrobée dans le Grand-Duché de Toscane. Aujourd'hui secondaire, elle a conservé la prison du district. Les habitants se distinguent encore par le charme de leurs manières. »

« De la porte de Sienne, le voyageur gagnera immédiatement l'église collégiale de Santa Deodata et s'y arrêtera (cinquième chapelle à droite) devant les élégantes * Fresques... »

Mrs. Herriton ne lut pas plus avant. La découverte des charmes cachés du Baedeker n'était pas son fait. Elle jugea ses informations parfois superflues, toujours ternes. Philippe, au contraire, ne pouvait lire sans un choc : « Vue de la Rocca (petit pourboire) belle surtout au coucher du soleil. » Ayant remis le livre à sa place, Mrs. Herriton redescendit et parcourut du regard les avenues goudronnées. Enfin, elle aperçut sa fille. Accrochée au second tournant par Mr. Abbott, le père de Miss Caroline Abbott, Harriet essayait en vain de se libérer. Elle n'avait jamais eu de chance. Elle arriva, rouge, agitée, toute bruissante de bank-notes et aussitôt, Irma, en bondissant vers elle, lui écrasa un cor.

— Tes pieds grandissent chaque jour, dit la martyre en repoussant sa nièce avec violence.

Irma éclata en sanglots. Mrs. Herriton en voulut à Harriet de laisser paraître son irritation. Le déjeuner fut détestable et l'on apporta, avec le pudding, la nouvelle que la cuisinière venait, par pure adresse, de rompre un des boutons essentiels du fourneau. « C'est trop », dit Mrs. Herriton.

« C'est galop ! » dit Irma, qui se fit traiter d'impertinente. Après le déjeuner, Harriet insista pour
aller chercher le Baedeker et lut d'un ton vexé les
renseignements sur Monteriano : au Mons Rianus
de l'Antiquité, sa mère l'interrompit :

— Cette lecture est ridicule, voyons. Elle ne
veut pas épouser quelqu'un de l'endroit même. Il
s'agit d'un touriste, évidemment, qui est descendu à l'hôtel. L'endroit n'a rien à faire.

— Mais quelle idée de s'arrêter là ! Et puis,
rencontre-t-on jamais quelqu'un de bien dans un
hôtel?

— Bien ou non, la question n'est pas là, je te
l'ai déjà dit. Lilia a fait un affront à notre famille,
elle le payera cher. Si tu veux parler des hôtels,
n'oublie pas que j'ai rencontré ton père à Chamonix.
Tes avis sont d'ailleurs superflus pour l'instant et
je te conseille de te taire. Je vais à la cuisine parler
de ce fourneau.

Elle en parla juste un peu trop : ne réussissant
pas à contenter Madame, la cuisinière préféra
rendre son tablier. Un petit objet proche masque
de grands objets lointains : Lilia, qui se conduisait
si mal sur un mont d'Italie centrale, disparut.
Mrs. Herriton vola donc vers un bureau de place-
ment ; ne trouva rien ; vola vers un autre bureau,
ne trouva rien encore ; revint à la maison, apprit
de la femme de chambre que devant cette incer-
titude elle quittait le service à son tour ; prit le

thé, écrivit six lettres, et fut interrompue par la cuisinière et la femme de chambre en pleurs, qui sollicitaient leur pardon et la permission de reprendre le travail. A cet instant triomphal, la sonnette d'entrée retentit et le télégramme arriva : « Lilia fiancée dans noblesse italienne. Lettre suit. Abbott. »

— Il n'y a pas de réponse, dit Mrs. Herriton. Allez chercher la grande sacoche de Mr. Philippe au grenier.

Elle ne se laisserait pas effrayer par l'inconnu. Ce n'était plus tout à fait l'inconnu, d'ailleurs. L'homme n'était pas un Italien noble, le télégramme l'eût dit simplement. Lilia l'avait rédigé, à coup sûr. Elle seule pouvait avoir commis cette niaise faute de goût : « dans noblesse italienne. » Certaines phrases, lues dans la lettre du matin, revinrent à l'esprit de Mrs. Herriton : « Nous adorons cet endroit... Caroline, qui est chaque jour plus exquise, dessine sans arrêt... Les Italiens, avec leur simplicité et leur charme... » La remarque du Baedeker : « Les habitants se distinguent encore par le charme de leurs manières » prenait un sens sinistre. Si l'imagination faisait défaut à Mrs. Herriton, l'intuition ne lui manquait pas et c'est une qualité plus utile. L'idée qu'elle se fit alors du fiancé de Lilia ne devait pas se révéler tout à fait fausse.

Philippe reçut donc, dès son arrivée, la nouvelle

qu'il partait dans une demi-heure pour Monteriano. Sa position était délicate. Il avait, trois
années durant, porté les Italiens aux nues — mais
de là à en prendre un dans sa famille !... Il tenta
d'amortir le choc pour sa mère, mais l'approuva
secrètement lorsqu'elle dit :

— Qu'il soit duc ou chanteur des rues, peu importe ! L'essentiel, c'est qu'en l'épousant, Lilia
insulte le souvenir de Charles, insulte Irma et nous
insulte. Donc je le lui défends et tout est fini entre
nous si elle ose désobéir.

— Je ferai tout ce que je pourrai, dit Philippe
d'une voix sourde. C'était bien la première fois
qu'il avait quelque chose à faire. Il embrassa sa
mère et sa sœur devant une Irma intriguée. Quand
il se retourna sur le seuil, avant de s'enfoncer dans
la froide nuit de mars, le hall lui parut tiède et
plein de charme. Il partit à regret vers l'Italie,
comme pour un voyage banal et morne.

Avant de se mettre au lit, Mrs. Herriton écrivit
à Mrs. Theobald sans déguiser son sentiment sur
la conduite de Lilia : chacun, souligna-t-elle, devait prendre parti très clairement. Elle ajouta,
comme après coup, que la lettre de Mrs. Theobald
lui était parvenue le matin même.

Au bas de l'escalier, une idée lui revint : elle
n'avait pas enterré ses pois ! Ce dernier choc fut
le plus dur et Mrs. Herriton, vexée, tapota et
retapota la rampe. Malgré l'heure tardive, elle

gagna enfin la cabane aux outils, y prit une lanterne et descendit au fond du jardin pour râteler
la terre sur les pois. Les moineaux n'en avaient
pas laissé un seul. Innombrables, par contre, les
morceaux de la lettre déchirée déshonoraient la
plate-bande.

CHAPITRE II

Quand, ahuri, le touriste descend du train à la gare de Monteriano, il se voit en pleine campagne. On aperçoit bien quelques maisons proches ; d'autres, plus nombreuses, piquètent au loin la plaine et les collines — mais de ville, médiévale ou non, pas l'ombre. Pour pénétrer dans le moyen âge, le voyageur doit monter dans un véhicule, proprement nommé « legno » — morceau de bois — et grimper huit milles de bonne route (courir aussi vite que le Baedeker étant impossible autant qu'impie).

Il était trois heures de l'après-midi lorsque Philippe abandonna le royaume du sens commun. Dans le train, il s'était endormi de fatigue. Ses compagnons de voyage, qui possédaient le don divinatoire propre aux Italiens, surent, quand survint Monteriano, qu'il désirait se rendre là et le poussèrent hors du wagon. Les semelles collées au goudron chaud, il regarda s'éloigner dans un rêve le train et le porteur, qui préférait à ses bagages

un jeu de pigeon-vole avec le fuyant conducteur.
Hélas ! Philippe n'était pas d'humeur à goûter
l'Italie. L'idée de marchander la location d'un
legno lui causa un ennui intolérable. L'homme demandait six lires ; la course de huit milles en valait
quatre à peine et Philippe, qui le savait, fut pourtant sur le point de consentir, ce qui eût assombri
toute la journée du cocher. Mais des cris s'élevant
soudain lui épargnèrent cette bévue sociale. Un
attelage était apparu très loin sur la route :
l'homme, faisant claquer son fouet, agitait les
rênes, poussait furieusement ses deux chevaux ;
derrière lui, une silhouette féminine, pareille à une
étoile de mer, s'accrochait à tout ce qu'elle pouvait saisir. C'était Miss Abbott. Ayant tout juste
reçu de Milan la lettre où Philippe lui annonçait
son arrivée, elle s'était précipitée à son avance.

Bien qu'il connût Miss Abbott depuis plusieurs
années, Philippe ne s'en était jamais formé une
opinion très définie, favorable ou défavorable.
Douce, paisible, aimable et terne, elle avait la
jeunesse de ses vingt-trois ans : rien dans sa personne ou dans ses manières ne suggérait l'ardeur
de la jeunesse. Elle avait toujours vécu à Sawston,
auprès d'un père aussi terne et aimable qu'elle ;
dans les rues de la ville, son visage, charmant et
pâle, attentif à quelque acte de charité respectable, était un objet familier. Qu'elle ait eu l'idée
de quitter ce cadre avait donc surpris. Elle avait

répondu avec justesse : « Je suis John Bull jusqu'à la moelle des os, pourtant je voudrais voir
l'Italie, une fois. Tout le monde en dit merveille
et les livres n'en donnent, paraît-il, aucune idée. »
Le pasteur avait hésité : un an, n'était-ce pas beaucoup? Mais Miss Abbott avait répliqué sur un ton
de solennité enjouée : « Oh, il faut me laisser jeter
ma gourme! Je promets de ne pas recommencer.
En une fois, je vais recueillir de quoi penser et de
quoi parler tout le reste de ma vie. » Le pasteur
avait consenti et, avec lui, Mrs. Abbott. Elle se
retrouvait aujourd'hui dans un *legno*, seule, cou-
verte de poussière, effarouchée, avec la perspective de répondre sur plus de choses et de plus de
choses qu'une aventurière hardie ne l'eût souhaité.

Ils se serrèrent la main sans un mot. La jeune
fille fit place dans son *legno*, simplement, à Philippe et son bagage, malgré la véhémente indignation du cocher malchanceux, qui ne céda qu'à
la double éloquence du chef et du mendiant de
gare. Quand la voiture fut en marche, ils parlèrent.
Trois jours durant, Philippe avait examiné ce
qu'il devait faire et plus encore ce qu'il devait
dire. Il avait même imaginé une douzaine de
conversations où sa logique persuasive lui pro-
curait une victoire certaine. Mais par où com-
mencer? Il se trouvait chez l'ennemi. Le chaud
soleil, la fraîcheur de l'air, derrière, les rangées
d'oliviers à l'infini, régulières et pourtant mysté-

rieuses — tout paraissait hostile à cette placidité
de Sawston, où ses pensées avaient pris naissance.
Dès l'abord, il avait fait une concession importante. Si le mariage était convenable, et si Lilia
y tenait, il céderait, comptant, pour arranger les
choses ensuite, sur son crédit auprès de sa mère.
En Angleterre, il n'eût pas fait pareille concession ; mais ici même, en Italie, Lilia, pour opi-
niâtre et sotte qu'elle fût, devenait en tout cas
un être humain.

— Allons-nous en parler tout de suite? demanda-t-il.

— Je vous en prie, dit Miss Abbott, fort agitée.
Si vous avez la bonté d'y consentir

— Eh bien, depuis quand est-elle fiancée?

Miss Abbott offrit un visage d'idiote — d'idiote
terrifiée.

— Depuis peu de temps... très peu de temps,
dit-elle en bégayant, comme si la brièveté des
fiançailles avait dû le rassurer.

— J'aimerais savoir depuis quand, si vous pouvez vous souvenir.

Elle fit des calculs compliqués sur ses doigts.

— Exactement onze jours, dit-elle enfin.

— Depuis quand êtes-vous ici?

Nouveaux calculs. Le pied du jeune homme
marqua quelque irritation.

— Près de trois semaines.

— L'aviez-vous rencontré avant de venir ici?

— Non.

— Oh ! Qui est-il?

— Un homme d'ici.

Un nouveau silence s'établit. Abandonnant la plaine, ils grimpaient maintenant au flanc des premiers mamelons, toujours escortés d'oliviers. Le cocher, un gros homme jovial, était descendu de son siège pour soulager ses bêtes et marchait à côté de la voiture.

— Je croyais qu'ils s'étaient rencontrés à l'hôtel...

— C'est une erreur de Mrs. Theobald.

— Et qu'il appartenait à la noblesse italienne? Elle ne répondit pas.

— Puis-je savoir son nom?

Miss Abbott murmura : « Carella. » Mais le cocher entendit le nom et un large sourire lui fendit le visage. Les fiançailles devaient être déjà publiques.

— Carella? Conte? Marchese? ou quoi?

— Signor, dit Miss Abbott, en détournant un regard désolé.

— Si mes questions vous ennuient, je m'arrête.

— Oh ! non, je vous en prie ; pas le moins du monde. Je suis ici... à mon sens... pour vous renseigner sur ce que, naturellement... et pour voir s'il y a moyen... demandez-moi ce que vous voudrez.

— Eh bien, quel âge a-t-il?

— Oh ! il est très jeune. Vingt et un ans, je crois.

Des lèvres de Philippe, une exclamation jaillit :

— Seigneur !

— On ne le croirait pas, dit Miss Abbott en rougissant. Il a l'air beaucoup plus âgé.

— Avec cela, est-il bel homme? demanda Philippe d'un ton qui devenait sarcastique.

Elle n'hésita plus.

— Très bel homme. Ses traits sont réguliers et il est bien bâti — trop petit, naturellement, d'après les normes anglaises.

Philippe, dont la haute taille était le seul avantage physique, fut un peu froissé de l'indifférence, à cet égard, qu'impliquait la phrase de la jeune fille.

— Dois-je en conclure qu'il vous plaît?

Ici encore, elle n'hésita pas.

— Autant que je l'ai vu, oui, il me plaît.

A cet instant, la route pénétra dans un petit bois, qui barrait de brun sombre la colline cultivée. Les arbres en étaient frêles et sans feuilles ; mais, fait remarquable, les troncs émergeaient d'un flot de violettes comme des rocs que baigne la mer en été. On trouve, en Angleterre, ces violettes, mais non pas cette profusion. L'art même ne vous l'offre pas, aucun peintre n'ayant le courage nécessaire. Les ornières formaient des bras de mer, les creux du terrain des lagunes ; même le bord blanc de la route en était tout éclaboussé, comme une jetée que submergerait bientôt une marée printanière. Philippe, pour l'instant, ne prit pas garde à ces détails : il pensait à ce qu'il devait dire. Mais son regard avait enregistré tant de beauté ; le mois de mars suivant, il n'oublia pas de songer que la route de Monteriano devait traverser des fleurs innombrables.

— Autant que je l'ai vu, oui, il me plaît, répéta Miss Abbott après un silence.

Philippe crut percevoir un certain défi dans sa voix et résolut de frapper aussitôt.

— Qui est-il donc? Vous ne m'avez rien dit sur ce point. Quelle est sa situation sociale?

Elle ouvrit la bouche, mais n'émit aucun son. Philippe attendit avec patience. La réponse voulut être désinvolte et échoua lamentablement.

— Il n'a aucune situation. Il fait le pied de grue, dirait mon père. Voyez-vous, il revient à peine du service militaire.

— Comme simple soldat?

— Je le crois. Tout le monde est appelé. Il était dans les bersaglieri, je pense. N'est-ce pas un corps d'élite?

— Il faut être petit et trapu. Bon marcheur aussi : neuf kilomètres à l'heure.

Elle jeta vers lui des regards inquiets ; elle ne comprenait pas bien, mais il devait être subtil. Elle poursuivit donc sa défense de signor Carella.

— Et maintenant, comme la plupart des jeunes gens, il cherche un emploi.

— Et en attendant?

— En attendant, comme la plupart des jeunes gens, il vit dans sa famille — père, mère, deux sœurs et un petit bouchon de frère.

A cette fausse note d'enjouement, Philippe pensa devenir enragé. Il fallait lui fermer la bouche.

— Une seule question, la dernière. Qui est son père?

— Son père... dit Miss Abbott. Je ne pense pas que vous voyiez là un bon mariage. Mais la question est ailleurs. Je veux dire que la question n'est pas... Les différences sociales, veux-je dire... après tout, l'amour... peu importe....

Philippe serra les dents sans mot dire.

— Les hommes sont durs quelquefois dans leurs jugements. Mais je pense que vous, et en tout cas votre mère— si parfaite à tous points de vue, d'une spiritualité si vraie... — après tout, l'amour... les mariages se font au ciel.

— Oui, Miss Abbott, je sais. J'ai hâte seulement de connaître le choix céleste. Vous piquez ma curiosité. Ma belle-sœur va-t-elle donc épouser un ange?

— Mr. Herriton, non — je vous en supplie... un dentiste, Mr. Herriton. Son père est un dentiste.

Philippe poussa un cri de dégoût personnel et de souffrance. Puis, avec un frisson, il s'écarta de sa

compagne. Un dentiste ! Un dentiste à Monteriano.
Un dentiste au pays des fées ! Gaz hilarant, den-
tiers et fauteuil à bascule en un lieu qui connut
l'alliance étrusque et la Pax Romana, Alaric en
personne, la comtesse Mathilde, le moyen âge
guerroyant et saint, la Renaissance guerroyante
et belle ! Il ne pensait plus à Lilia. Il avait peur
pour lui-même : il craignait la mort de la poésie.

La poésie ne meurt qu'avec la vie. Aucun davier
ne nous l'arrachera jamais. Mais il existe une
affectation, qui ne supporte pas l'inattendu, l'in-
congru, le grotesque. Un choc l'ébranle et plus
vite nous la perdons, mieux vaut pour nous. Philippe était en train de la perdre, de là venait son
cri de douleur.

— Je vois mal ce qui se prépare, commença-t-il.
Si Lilia avait résolu de nous déshonorer, elle
aurait pu choisir un moyen moins choquant. Joli
garçon, taille médiocre, fils d'un dentiste à Monteriano. Ma définition est-elle correcte? Puis-je
conjecturer qu'il n'a pas le sou? Que sa position
sociale est nulle? En outre...

— Assez ! Je ne vous dirai plus rien.

— Franchement, Miss Abbott, cette réticence
arrive un peu tard. Vous m'avez admirablement
informé.

— Je ne prononcerai plus un seul mot ! cria-
t-elle avec une crispation de terreur. Puis elle tira
son mouchoir et parut sur le point de fondre en

larmes. Un instant, Philippe garda le silence, voulant signifier par là que le rideau venait de tomber sur la scène, enfin il parla d'autre chose.

Les oliviers étaient revenus autour d'eux ; le petit bois et sa beauté sauvage s'étaient évanouis. Mais plus haut encore, le paysage s'ouvrit soudain et Monteriano apparut, au sommet d'une colline, à droite. Le gris embrumé des oliveraies venait baigner le pied de ses murailles et la ville semblait flotter, solitaire, entre les arbres et le ciel, pareille à une arche de rêve. Sa silhouette brune ne laissait voir aucune maison — rien que l'étroite enceinte des murailles et, derrière elles, dix-sept tours, tout ce qui restait des cinquante-deux qui hérissaient la ville au temps de sa splendeur. Certaines n'étaient plus que des moignons, d'autres, avec roideur, s'inclinaient vers la ruine, d'autres se tenaient encore très droites, trouant l'azur comme des mâts. Louer leur beauté était impossible, mais maudire leur pittoresque ne l'était pas moins.

Philippe, cependant, parlait sans arrêt, donnant ainsi, à son avis, une grande preuve de maîtrise et de tact. Miss Abbott devait voir par là qu'après l'avoir contrainte à des aveux complets, il pouvait dominer son dégoût et, par la seule force de son intellect, continuer à se montrer aussi aimable et amusant que jamais. Il ne s'avisait pas qu'il disait beaucoup de bêtises et que la seule force de son

intellect était minée par la vue de Monteriano,
et l'art dentaire que recelaient ses murs.

La ville tanguait vers la gauche, la droite, la
gauche encore, selon les lacis de la route, qui grimpait entre les arbres ; et les tours, peu à peu, s'illu-
minaient des reflets du couchant. Enfin, Philippe
vit les murs se garnir d'une ligne sombre de têtes
et il sut ce qui arrivait : la nouvelle se répandait
qu'un étranger était en vue ; les mendiants, ar-
rachés à leur béatitude, recevaient l'ordre de
rajuster leurs difformités, l'homme aux objets
d'albâtre volait vers sa marchandise, le Guide
Autorisé volait vers sa casquette à visière et ses
deux cartes de recommandation — l'une de
Miss M'Gee, Maida Vale, l'autre, moins précieuse,
d'un Écuyer de la Reine du Pérou ; un troisième
personnage volait vers la propriétaire de la Stella
d'Italia, afin qu'elle mît son collier de perles et
ses souliers jaunes et vidât les seaux de toilette
de la chambre disponible ; la propriétaire, enfin,
volait annoncer à Lilia et son ami que l'heure
fatale était proche.

Philippe s'était peut-être félicité trop vite de
son abondante éloquence. Il avait, certes, rendu
Miss Abbott presque folle, mais ne s'était pas ré-
servé le moindre temps de réflexion. Il se trouva
pris au dépourvu, sans plan d'action. Ils débou-
chèrent soudain des vergers sur la terrasse longeant
la promenade et, abandonnant derrière eux la

vision d'une Toscane radieuse, plongèrent sous la
porte de Sienne : le voyage était terminé. Le
douanier les pria d'entrer avec un salut gracieux
et déjà la voiture, qui cahotait dans l'étroite rue,
y était accueillie par ce mélange de curiosité et de
bienveillance qui rend si merveilleuse toute arrivée en Italie.

Philippe, étourdi, ne savait que faire. L'accueil
devant l'hôtel fut inouï. La propriétaire prit la
main du jeune homme et la secoua ; quelqu'un
s'empara de son parapluie, quelqu'un d'autre de
sa valise ; on se poussait pour lui faire place. Une
foule obstruait apparemment l'entrée. Des chiens
aboyaient, on écrasait des ballons à sifflet, les
femmes agitaient leurs mouchoirs, des enfants
excités hurlaient sur les marches et, là-haut sur le
seuil, apparaissait Lilia, rayonnante, dans son cor-
sage le plus éclatant.

— Soyez le bienvenu ! cria-t-elle. Soyez le bienvenu à Monteriano !

Il la salua en retour, ne sachant pas quoi faire
d'autre, et un murmure de sympathie s'éleva de
la foule au-dessous d'eux.

— C'est vous qui m'avez conseillé de venir ici,
poursuivit-elle. Je ne l'oublie pas. Permettez-moi
de vous présenter signor Carella.

Philippe distingua dans un coin, derrière elle,
un jeune homme qui, pour l'instant au moins,
n'apparaissait ni beau, ni bien bâti. A demi drapé

dans les plis froids et sales d'un rideau, il avança
nerveusement une main que Philippe saisit : elle
était épaisse et moite. Des escaliers, un nouveau
murmure d'approbation s'éleva.

— Et maintenant, la dînette ! Nous allons être
bientôt servis, dit Lilia. Philippe, votre chambre
est au bout du couloir. Mais ne vous changez pas,
c'est inutile.

Il partit se laver les mains d'un pas trébuchant,
écrasé par l'effronterie de la jeune femme.

— Caroline chérie ! murmura-t-elle aussitôt.
Vous avez tout dit, vous êtes un ange ! Il le prend
si bien. Mais vous avez dû passer un *mauvais
quart d'heure* (1).

La longue épouvante de Miss Abbott soudain se
mua en aigreur.

— Je n'ai rien dit du tout, dit-elle sèchement.
Cela vous regarde... et si votre entretien ne dure
qu'un quart d'heure, vous aurez de la chance !

Le dîner fut un cauchemar. Ils étaient seuls dans
la salle à manger malodorante. Lilia, en grande
toilette et parlant très fort, occupait le haut bout
de la table ; Miss Abbott, non moins élégante, était
assise à côté de Philippe, de plus en plus semblable,
pour son énervement exaspéré, à une confidente
de tragédie. En face, était assis le rejeton de la noblesse italienne, signor Carella. Derrière lui appa-

(1) En français dans le texte (N. d. T.).

raissait vaguement un bocal, où des poissons rouges tournaient sans cesse et regardaient bouche bée les dîneurs.

Le visage de signor Carella était trop tordu de grimaces pour que Philippe pût l'étudier. Ses mains, du moins, étaient visibles. Déjà douteuses, elles ne gagnaient rien, assurément, à tripoter des plaques miroitantes de cheveux. Les manchettes raides ne valaient pas mieux ; quant au costume, il avait été, sans nul doute, acheté pour la circonstance le plus anglais possible — d'immenses carreaux, qui godaient. Le jeune homme avait oublié son mouchoir, et ne s'en apercevait pas. Somme toute, hautement « imprésentable ». Il pouvait se féliciter d'avoir un père dentiste à Monteriano. Pourquoi Lilia elle-même?... Mais le repas, presque aussitôt, fournit une explication à Philippe.

Car le jeune homme avait faim et, la dame de ses pensées ayant empli son assiette de spaghetti, l'on put voir, lorsqu'il engloutit ces délicieuses chenilles glissantes, son visage se détendre et prendre une expression de calme inconscience. Or Philippe avait vu cent fois ce visage en Italie — l'avait vu et l'avait aimé, non seulement pour sa beauté, mais pour le charme que cette terre lègue, de droit, à tous ses enfants. Seulement, Philippe n'avait nulle envie de voir ce visage en face de lui à dîner. Ce n'était pas celui d'un gentleman.

La conversation, s'il est permis d'employer ce

terme, fut un salmigondis d'anglais et d'italien,
Lilia baragouinant à peine quelques mots de l'un
et signor Carella n'ayant encore rien appris de
l'autre. De temps à autre, Miss Abbott devait servir d'interprète aux amoureux et la situation devenait alors plus qu'embarrassée, révoltante. Philippe était cependant trop poltron pour faire une
sortie et rompre les fiançailles. Il se persuada qu'en
tête à tête, il agirait plus efficacement sur Lilia et
feignit de penser qu'il devait écouter sa défense
avant de prononcer son jugement.

Signor Carella, raffermi par les spaghetti et un
vin qui raclait la gorge, essaya de lier conversation et, regardant poliment Philippe, déclara :

— L'Angleterre est un grand pays. Les Italiens
aiment l'Angleterre et les Anglais.

Philippe, qui n'était pas d'humeur à échanger
des civilités internationales, s'inclina sans mot dire.

— L'Italie aussi est un grand pays, poursuivit
l'autre un peu vexé. Elle a produit beaucoup
d'hommes célèbres — par exemple Garibaldi et
Dante. Ce dernier a écrit l'*Inferno*, le *Purgatorio*,
le *Paradiso*. L'*Inferno* est le plus beau.

Et sur le ton satisfait de l'homme qui a reçu
une solide éducation, il récita les premiers vers :

> *Nel mezzo del cammin di nostra vita*
> *Mi ritrovai per una selva oscura,*
> *Chè la diritta via era smarrita...*

citation bien plus à propos qu'il ne l'imaginait.

Lilia coula un regard vers Philippe : remarquait-il qu'elle n'épousait pas le dernier des ânes? Brûlant de déployer les qualités du bien-aimé, elle parla sans transition du *Pallone*, qu'il semblait pratiquer avec éclat. Signor Carella, soudain intimidé, exhiba un sourire vaste et vaniteux — le sourire du sportif campagnard, dont le score au cricket est révélé à un étranger. Philippe avait lui-même aimé, en spectateur, les parties de *Pallone*, ce mélange excitant de tennis et de paume. A l'avenir, il les aimerait, sans doute, moins.

— Oh, regardez! s'écria Lilia, les pauvres poissons rouges!

Une chatte affamée leur avait cherché noise à cause du hachis de bœuf pourpre et tremblant qu'ils tentaient de gober. Signor Carella, avec cette brutalité si commune chez les Italiens, l'avait, un instant auparavant, saisie par la patte et rejetée loin de lui. Maintenant, juchée sur le bocal, elle essayait de pêcher les poissons. Signor Carella se releva, chassa l'animal et, voyant un énorme bouchon de verre à côté du bocal, obtura complètement l'orifice.

— Mais les poissons ne vont-ils pas mourir? dit Miss Abbott. Ils n'ont plus d'air.

— Il faut de l'eau aux poissons, non de l'air, répliqua-t-il d'un ton assuré, puis il se rassit. Apparemment, il était de nouveau à l'aise, car il se mit à cracher sur le sol. Philippe regarda Lilia, sans pouvoir déceler sur son visage la moindre crispation. Elle soutint bravement la conversation jusqu'à la fin de l'écœurant repas, puis, se levant, dit :

— Eh bien ! Philippe, je suis sûre que vous avez besoin de repos. A demain, midi, donc, si nous ne nous rencontrons pas avant. On nous sert notre *caffè latte* dans nos chambres.

C'était un peu trop d'impudence.

— J'aimerais, répliqua Philippe, vous parler immédiatement dans ma chambre, car j'ai fait tout ce voyage pour des raisons d'affaires.

Miss Abbott étouffa une exclamation. Signor Carella, qui allumait un cigare nauséabond, n'avait pas compris.

Tout se passa d'abord comme Philippe l'avait prévu. Une fois seul avec Lilia, il redevint parfaitement maître de soi. Affermi par le souvenir de sa longue suprématie intellectuelle, il commença avec aisance :

— Ma chère Lilia, évitons une scène. J'ai pu croire, avant d'arriver ici, que je devais vous interroger. C'est inutile. Je sais tout. Miss Abbott m'a dit certaines choses, et je vois clairement le reste.

— Vous voyez clairement le reste? s'écria-t-elle.

Il se souvint plus tard qu'elle avait rougi intensément.

— Oui, je vois ce qu'il est : un bandit peut-être, un goujat certainement.

— Il n'y a pas de goujats en Italie, dit-elle très vite.

Il fut déconcerté. La remarque venait de lui. Et Lilia le troubla plus encore en ajoutant

— C'est le fils d'un dentiste. Et pourquoi pas?

— Merci pour le renseignement. Je vous l'ai dit déjà, je sais tout. Je sais aussi quel est le niveau social d'un Italien qui arrache des dents dans une ville minuscule de province.

A vrai dire, il n'en savait rien, mais conclut hardiment que ce niveau était des plus bas. Et Lilia ne le contredit pas. Elle eut, pourtant, l'esprit assez aiguisé pour répondre :

— Vous me surprenez, Philippe. J'avais cru comprendre que vous prêchiez l'égalité et tout ce qui s'ensuit.

— Et moi, j'avais cru comprendre que signor Carella appartenait à la noblesse italienne.

— Ma foi, nous avons mis cela dans notre télégramme pour ne pas trop choquer cette chère Mrs. Herriton. Mais c'est vrai. Il appartient à la branche cadette. Les familles ont des ramifications, n'est-ce pas? Ainsi, dans la vôtre, il y a le cousin Joseph — (c'était, astucieusement choisi, l'unique indésirable dans le clan Herriton). Le père de Gino est la courtoisie même, il s'élève rapidement dans sa profession. Il quitte ce mois-ci Monteriano pour s'établir à Poggibonsi. Et ce qui compte, à mon humble avis, c'est ce que sont réellement des hommes ; je n'espère pas votre accord sur ce point. Mais je voudrais vous faire savoir que l'oncle de Gino est un prêtre — l'équivalent d'un pasteur, chez nous.

Philippe, cependant, savait ce que peut être le niveau social d'un prêtre italien, il le dit si abondamment que Lilia l'interrompit :

— Eh bien ! son cousin est avocat à Rome.

— Quel genre d' « avocat »?

— Avocat, ma foi, comme vous — sauf qu'il a trop à faire pour s'absenter jamais.

La remarque blessa Philippe plus qu'il ne le laissa paraître. Il changea de méthode et, sur un ton conciliant et doux, prononça le discours suivant :

— Tout cela ressemble à un cauchemar affreux — si affreux qu'il faut y mettre un terme. Si l'homme avait à son actif le moindre côté sympathique, je pourrais hésiter. Mais les faits étant ce qu'ils sont, il suffit de laisser agir le temps. Pour l'instant, Lilia, il vous a roulée mais vous le démasquerez vite. Il est impossible que vous, une dame, accoutumée à la compagnie de dames et de gentlemen, supportiez celle d'un homme dont le niveau... non, n'atteint même pas celui du fils d'un dentiste ambulant de Coronation Place. Je ne vous accuse pas pour l'instant. J'accuse l'enchantement de l'Italie — vous savez qu'il m'a enivré moi-même — et j'accuse surtout Miss Abbott.

— Caroline? Que lui reprochez-vous? Pourquoi mêler Caroline à cette histoire?

— Parce que nous comptions sur elle pour… (Il vit que sa réponse l'engagerait sur des voies difficiles, agita la main et reprit) : Je suis donc sûr, et vous m'approuvez dans le secret de votre cœur, que vous allez rompre ces fiançailles. Pensez à votre vie chez nous — pensez à Irma ! Et j'ajoute : pensez à nous, car vous le savez, Lilia, vous êtes plus pour nous qu'une parente. J'aurais le sentiment de perdre une sœur si vous persistiez dans votre intention, et ma mère perdrait une fille.

Elle parut touchée enfin et détourna le visage pour dire :

— Je ne puis rompre maintenant !

— Pauvre Lilia, dit-il, sincèrement ému. Je comprends que ce soit douloureux. Mais je suis venu à votre secours et, si rat de bibliothèque que je sois, je puis bien soutenir l'assaut d'un malotru. Il n'est qu'un gamin insolent. Il croit vous tenir par des menaces. Mais en face d'un homme, son attitude changera.

Ce qui va suivre devrait être préparé par une image — coup de mine, tonnerre et secousse sismique — car Philippe s'en trouva soudain projeté dans les airs, cloué au sol et englouti dans les profondeurs de la terre. Lilia se tourna vers son chevalier servant et dit :

— Pour une fois dans ma vie, je vous prie de me

laisser tranquille. Et j'en dis autant pour votre
mère. Pendant douze années, vous m'avez dressée,
mise à la torture ; je ne supporterai pas plus longtemps. Me croyez-vous stupide? Pensez-vous que
je n'ai rien éprouvé? Ah ! quand je suis entrée dans
votre maison, moi, la pauvre petite épouse, comme
vous m'avez toisée, examinée sans bienveillance et
discutée : elle passera tout juste ; votre mère faisait mon éducation, votre sœur me remettait à ma
place, et vous-même faisiez des mots à mes dépens
pour montrer combien vous aviez d'esprit ! Et
après la mort de Charles, j'ai été tenue encore en
lisière : l'honneur de votre grotesque famille l'exigeait ! Il fallait me claquemurer à Sawston, apprendre le ménage, perdre toute chance de me remarier ! Non, merci ! Non, merci ! « Malotru? »
« Gamin insolent? » Regardez-vous donc ! Mais
Dieu soit loué, maintenant, je me moque du monde,
j'ai trouvé Gino et je fais, cette fois, un mariage
d'amour !

Par sa vulgarité, mais par sa vérité aussi, l'at-
taque coupa le souffle à Philippe. Cependant, la
suprême insolence de Lilia lui rendit la parole et il
explosa à son tour.

— Je vous le défends ! Vous me dédaignez, vous
me jugez faible, sans doute. Eh bien ! vous vous
trompez. Vous n'êtes qu'une ingrate, impertinente
et méprisable, mais je vous sauverai pour sauver
Irma et notre nom. Un tel scandale va éclater dans

cette ville que vous regretterez d'y être venue et
qu'il le regrettera aussi. Tant pis, je ne reculerai
devant rien, vous m'avez trop exaspéré. Je ne vous
conseille pas de rire. Je vous interdis d'épouser
Carella et je vais le lui dire sur-le-champ.

— Faites donc, cria-t-elle. Dites-le lui sur-le-
champ. Expliquez-vous. Gino! Gino! Entrez!
Avanti! Fra Filippo interdit notre mariage!

Gino apparut si prestement qu'il devait écouter
derrière la porte.

— Fra Filippo est exaspéré. Il ne reculera devant rien. Prenez garde, il pourrait vous faire mal!

Elle se dandina, contrefaisant vulgairement la
démarche de Philippe, puis, avec un coup d'œil
admiratif vers les larges épaules de son Gino, fit
une sortie indignée.

Désirait-elle les voir se battre? Philippe n'avait
pas l'intention d'en venir aux mains. Gino non plus,
apparemment. Immobile, nerveux, il se tenait au
milieu de la chambre, la bouche et les yeux tres-
saillants.

— Asseyez-vous, je vous prie, signor Carella, dit
Philippe en italien. Mrs. Herriton est fort agitée,
mais nous pouvons, nous, garder notre calme. Une
cigarette? Asseyez-vous donc, je vous prie.

Gino refusa siège et cigarette, mais demeura debout dans la pleine clarté de la lampe. Philippe ne
refusa pas cet avantage et se plaça le visage dans
l'ombre.

Puis il garda un long silence. Cela pouvait impressionner Gino et donnait à Philippe lui-même le temps de rassembler ses idées. Il n'allait pas, cette fois, tomber dans l'erreur impardonnable où l'avait induit Lilia. Loin de tonitruer, il allait marquer son pouvoir par une parfaite réserve.

Mais pourquoi — au moment où Philippe, prêt à parler, leva les yeux — pourquoi le visage de Gino était-il secoué par un rire silencieux? Le rire disparut immédiatement ; mais Philippe se sentit nerveux et la pompe de son exorde s'en accrut.

— Signor Carella, je dois être franc avec vous. Je suis venu ici pour vous empêcher d'épouser Mrs. Herriton. Cette union, en effet, vous rendrait tous deux malheureux. Elle est Anglaise, vous êtes Italien ; elle a certaines habitudes, vous en avez d'autres. Enfin, pardonnez-moi si je le dis crûment, elle est riche et vous êtes pauvre.

— Je ne l'ai pas choisie pour sa richesse, répliqua Gino d'un ton maussade.

— Je n'ai rien avancé de semblable, dit courtoisement Philippe. Je ne mets pas en doute votre honorabilité, mais êtes-vous sage? Et permettez-moi de vous rappeler que nous désirons la garder avec nous. Sa fillette n'aura plus de mère, notre famille sera brisée. Si, au contraire, vous m'accordez ce que je vous demande, vous aurez droit à notre reconnaissance... ainsi qu'à une réparation du tort qui vous aura été causé.

— Réparation... quelle réparation?

Il s'appuya au dossier d'une chaise et fixa sur Philippe un regard attentif. L'affaire s'arrangeait vite. Pauvre Lilia !

Philippe dit lentement :

— Que penseriez-vous de mille lires?

Gino exprima toute son âme dans une seule exclamation, puis demeura muet, les lèvres entr'ouvertes. Philippe aurait donné le double : il s'attendait à un marchandage.

— Vous pouvez les avoir ce soir même.

Gino retrouva la parole et dit :

— Trop tard.

— Mais pourquoi?

— Parce que...

Sa voix se brisa. Philippe ne perdait pas des yeux le visage du jeune homme — un visage encore brut, peut-être, mais non sans expression — on le voyait trembler, se recomposer, se dissoudre au passage des émotions. On y lisait la cupidité, puis, tour à tour, l'insolence, la politesse, la ruse, la stupidité — espérons que, parfois, on y lisait l'amour. Mais peu à peu, une émotion se précisait, l'emportait sur toutes les autres, bien qu'elle fût la plus inattendue. La poitrine de Gino se souleva, ses yeux se plissèrent, sa bouche grimaça et soudain redressé, le jeune homme, de tout son être, fit retentir un formidable éclat de rire.

Philippe, sursautant, fit un pas et Gino, qui

avait largement ouvert les bras pour lâcher son rire admirable, prit l'Anglais par les épaules, le secoua et dit :

— Parce que nous sommes mariés — oui, mariés — dès que j'ai su que vous étiez en route. Nous n'avons pas encore eu le temps de vous le dire. Oh, oh ! Vous avez fait le voyage pour rien. Oh ! Et oh, là, là, votre générosité ! (Soudain, il devint grave et dit) : Je vous demande pardon de mon impolitesse. Je ne suis guère qu'un paysan et...

A cet instant, il aperçut le visage de Philippe. C'était trop pour lui. Haletant, pouffant, se mordant les poings et les recrachant en une nouvelle explosion, il envoya soudain à Philippe une bourrade sans malice qui le fit basculer sur le lit. Un cri horrifié lui échappa, puis, abandonnant la partie, il bondit dans le couloir en hurlant de joie, comme un enfant, et courut raconter cette bonne histoire à sa femme.

Pendant quelques instants, Philippe, écroulé sur le lit, voulut se croire grièvement blessé. Il était presque aveuglé par la rage et, dans le couloir, heurta Miss Abbott, qui fondit aussitôt en larmes.

— Je vais coucher au Globo, lui dit-il, et repars pour Sawston à la première heure, demain. Il m'a agressé. Je pourrais porter plainte. Mais je n'en ferai rien.

— Je ne peux pas rester ici, dit-elle en sanglotant. Je n'ose pas. Il faudra que vous m'emmeniez.

CHAPITRE III

Hors des murs de Monteriano et face à la porte de Volterra, se dresse une muraille de terre battue, vaste, respectable, blanchie à la chaux, couronnée de tuiles gaufrées et rouges, qui empêchent la pluie de la dissoudre. On imaginerait quelque jardin aristocratique, sans une brèche considérable que chaque orage rend plus considérable encore. La brèche laisse voir : *primo*, une grille de fer, qui prétend la fermer ; *secundo*, une pièce de terre, qui sans être un carré de boue, n'est pourtant pas un carré d'herbe ; enfin, un autre mur, de pierre cette fois, offrant, au centre, une porte de bois entre deux fenêtres garnies de persiennes — la façade, croit-on, d'une maison sans étage.

La maison est, en vérité, plus considérable : la pente du terrain lui donne deux étages sur la face opposée et la porte de bois, toujours close d'ailleurs, conduit en réalité au grenier. L'homme qui sait préfère dévaler l'abrupt chemin muletier, contournant la muraille, et aborder ainsi la maison par derrière. Du niveau de la cave où il se

trouve alors, il lève le nez vers le ciel et crie. Si le
cri suggère plutôt du léger, par exemple une lettre,
quelques légumes ou un bouquet de fleurs, un panier descend au bout d'une corde, par une fenêtre
du premier étage ; l'homme s'y déleste et s'en va.
Mais si le cri suggère du lourd — tronçon d'arbre,
quartier de viande, ou visiteur — l'homme subit
un interrogatoire et reçoit ensuite, ou ne reçoit
pas, l'autorisation de monter. Rez-de-chaussée et
second étage de cette maison délabrée demeurent
également vides, la vie des habitants s'étant ré-
fugiée au centre, comme celle d'un mourant reflue
vers le cœur. La première volée d'escaliers aboutit
bien à une porte et le visiteur pour qui elle s'ouvre
n'y reçoit pas forcément un accueil glacé. L'appar-
tement comprend plusieurs pièces, sans lumière
parfois, presque toujours sans air. Salon de réception d'abord, qu'adornent des fauteuils de crin,
des tabourets de tapisserie et un poêle jamais
allumé (le mauvais goût allemand couve dans cette
pièce une couvée allemande absente) ; un autre
salon, lequel dégénère en chambre à coucher quand
la délicatesse de l'hospitalité ne s'y oppose pas ;
les vraies chambres à coucher ; enfin, la loggia, où
l'on peut vivre nuit et jour, si l'on en a envie, fu-
mant des cigarettes et buvant du vermouth, sous
le regard d'un paysage immense, des lieues d'oliveraies ou de vignobles que bordent des collines
d'un bleu vert.

C'est dans cette demeure que la vie conjugale de Lilia déroula sa fatale et brève tragédie. La jeune femme avait fait acheter la maison par Gino : c'était là, en effet, qu'elle l'avait vu la première fois, assis sur le faîte du mur, face à la porte de Volterra. Un rayon du couchant illuminait la chevelure du jeune homme, il avait souri en la regardant. Sentimentale sans raffinement, elle s'était juré de posséder l'homme et le lieu. En Italie, les immeubles ne sont pas chers pour un Italien. Gino, sans doute, eût préféré une maison sur la Piazza, ou mieux encore à Sienne, ou, bénédiction des bénédictions, à Livourne ; mais il suivit le choix de Lilia : peut-être faisait-elle preuve de bon goût en préférant cette retraite.

La maison étant beaucoup trop vaste pour eux, des parents, en grand nombre, vinrent les aider à l'emplir. Le père de Gino proposa d'en faire une entreprise patriarcale, où chacun aurait sa chambre et où les repas seraient pris en commun : lui-même était prêt à y présider en renonçant à sa nouvelle clientèle de Poggibonsi. Un tel projet séduisit Gino, car, affectueux de nature, il aimait les tribus familiales. Mais lorsqu'il annonça la bonne nouvelle à sa femme, Lilia ne chercha pas à cacher son horreur.

Horrifié par contagion, Gino vit que l'idée était monstrueuse, s'accusa de l'avoir suggérée et courut aviser son père que la chose était impossible. Le

père déplora que la fortune eût déjà corrompu
l'esprit et durci le cœur de son fils ; la mère pleura ;
les sœurs reprochèrent à Gino d'entraver leur
ascension mondaine. Lui s'excusait, se faisait
humble, mais lorsqu'ils attaquèrent Lilia, il ri-
posta : ils ne pouvaient comprendre, leur dit-il, la
grande dame anglaise qu'il avait épousée ; ils pouvaient encore moins vivre à ses côtés ; cette maison n'aurait qu'un maître — lui.

A son retour auprès de Lilia, il fut cajolé, traité
de héros, couvert de fleurs et de noms tendres.
Mais il fut bien mélancolique le jour où son clan
tout entier abandonna Monteriano avec une dignité que n'entamait en rien l'acceptation d'un
chèque. Chèque en poche, et réflexion faite, ils
gagnèrent non Poggibonsi, mais Empoli — une
ville animée et poussiéreuse à quelque vingt milles
de là. Tous s'y installèrent confortablement et les
sœurs s'y dirent exilées par Gino.

Le chèque, évidemment, venait de Lilia : elle
était généreuse et prête à rencontrer n'importe
quel parent, pourvu qu'il ne vécût pas avec elle :
toute belle-famille étant trop pour ses nerfs. Rien
ne la charmait plus que de dénicher des cousins
éloignés et pauvres — il y en avait d'ailleurs
quelques-uns — pour jouer avec eux à la grande
dame charitable et s'évanouir, laissant derrière
elle un étonnement trop souvent mêlé d'insatis-
faction. Gino fut surpris : pourquoi donc tous ces

gens, jadis si agréables, étaient-ils devenus tout à
coup geignards et hostiles? Il vit la cause de ce
changement dans la splendeur même de sa dame,
auprès de laquelle tout apparaissait vulgaire. L'argent de Lilia coulait allégrement bien que la vie
fût bon marché. Elle était plus riche qu'il ne l'avait
cru et Gino ne se souvenait pas sans honte du jour
où il avait regretté de ne plus pouvoir l'échanger
contre les mille lires de Philippe Herriton. C'eût
été un marché à courte vue.

Lilia prit un vif plaisir à aménager la maison,
sans autre peine que de donner, à des gens sou-
riants, des ordres qu'un mari fervent traduisait.
Elle fit même, de cette félicité domestique, un
compte rendu effronté qu'elle adressa à Mrs. Herriton. La réponse, écrite par Harriet, pria Lilia :
1º d'adresser toute correspondance ultérieure à
leur avoué ; 2º de vouloir bien renvoyer le coffret
marqueté qu'Harriet lui avait prêté — et non
donné — pour y mettre mouchoirs et cols.

— Voyez ce que je perds pour vous ! dit-elle à
Gino. Elle n'oubliait jamais de marquer sa condes-
cendance. Gino crut qu'il s'agissait du coffret
marqueté. Pourquoi ne pas le garder? dit-il.

— Mais non, nigaud ! Je parle de la vie. Ces
Herriton ont d'excellentes relations. Ils tiennent
le haut du pavé à Sawston. Mais que m'importe,
tant que j'ai mon nigaud à moi !

Elle le traitait toujours en enfant, avec raison,

et en simple d'esprit, à tort. Elle se croyait si in-
finiment supérieure à lui qu'elle négligea, une à
une, toutes les occasions d'affermir son empire. Il
était beau et indolent ; il devait donc être stupide.
Il était pauvre : jamais, par suite, il n'oserait critiquer sa bienfaitrice. Il était passionnément amoureux ; elle pouvait donc n'agir qu'à sa guise.

— Ce n'est peut-être pas le paradis sur terre,
pensait-elle, mais c'est mieux que Charles.

Cependant, le jeune homme ne cessait pas de
l'observer et de mûrir.

Charles fut rappelé désagréablement au souvenir
de Lilia par une lettre de l'avoué, enjoignant à la
jeune femme de dégorger une somme importante
au profit d'Irma, et conformément au testament
de feu son mari. Avoir paré à un second mariage —
cela ressemblait bien à Charles et à son humeur
soupçonneuse. L'indignation de Gino ne fut pas
moindre. A eux deux, ils aiguisèrent une réponse
vengeresse, qui demeura sans effet. Gino, alors,
proposa une solution : pourquoi Irma, quittant
l'Angleterre, ne viendrait-elle pas vivre avec eux?
« L'air est bon, dit-il, la nourriture ne l'est pas
moins ; elle sera heureuse ici et nous pourrons
garder l'argent. » Mais Lilia ne se sentit pas le
courage d'en faire même la suggestion aux Herriton, une terreur inattendue l'ayant saisie à l'idée
qu'Irma, ou tout autre enfant d'Angleterre, pourrait être éduquée à Monteriano.

Cette lettre de l'avoué déprima Gino profondément — plus que de raison, pensa Lilia. N'ayant plus rien à faire à la maison, il passait des journées entières dans la loggia, accoudé au balcon ou à califourchon, mélancolique.

— Oh, le paresseux ! s'écria-t-elle un jour, en lui pinçant les muscles. Allez donc jouer au pallone.

— Je suis un homme marié, répondit-il sans lever le nez. Je ne joue plus à rien.

— Allez donc voir vos amis.

— Je n'ai plus d'amis.

— Nigaud, nigaud, nigaud ! Vous ne pouvez rester tout le jour dedans !

— Je ne veux voir que vous.

Il cracha sur un olivier.

— Gino, ne faites pas le nigaud. Allez voir vos amis et amenez-les ici. Nous aimons tous deux la société.

Il parut vaguement surpris, se laissa convaincre pourtant, sortit, se trouva moins dépourvu d'amis qu'il ne pensait et revint après plusieurs heures dans un état d'esprit tout différent. Lilia se félicita d'une si heureuse initiative.

— Moi aussi, je suis prête à voir des gens, dit-elle. Je veux tout réveiller ici, comme j'ai réveillé Sawston. Que des hommes viennent, beaucoup d'hommes — et qu'ils amènent leurs femmes. Je veux organiser de véritables thés anglais.

— Il y a ma tante et son mari ; mais je croyais que vous ne vouliez pas recevoir mes parents.

— Je n'ai jamais dit une telle...

— Oh ! vous auriez raison, dit-il gravement. Ce ne sont pas des gens pour vous. Des boutiquiers pour la plupart. Mes parents eux-mêmes n'étaient guère plus ; vous devriez avoir pour amis des notables et la noblesse.

« Pauvre diable ! pensa Lilia. Il découvre la vulgarité de son milieu, c'est triste. » Puis elle se mit à lui dire qu'elle aimait son petit nigaud pour lui-même ; et lui, en rougissant, se mit à tirer sa moustache.

— Mais en dehors de vos parents, il me faut recevoir d'autres personnes. Vos amis ont des femmes et des sœurs, n'est-ce pas?

— Oh ! oui ; mais naturellement je les connais à peine.

— Vous ne connaissez pas les femmes et les sœurs de vos amis?

— Ma foi non. Si elles sont pauvres et doivent travailler pour vivre, je les rencontre parfois dans la rue — c'est tout. Sauf...

Il s'interrompit. L'unique exception était une jeune personne qu'on lui avait présentée autrefois à des fins matrimoniales. Mais la dot s'étant révélée insuffisante, leurs relations avaient cessé.

— Comme c'est drôle ! Je vais changer tout

cela. Amenez-moi vos amis et je les convaincrai d'amener leur famille.

Il la regarda, déconcerté.

— Enfin, qui sont les notables ici? Qui a le pas dans la bonne société?

Gino hésita :

— Le gouverneur de la prison, sans doute, et son personnel de fonctionnaires.

— Bon. Sont-ils mariés?

— Oui.

— Eh bien! voilà. Les connaissez-vous?

— Oui, vaguement.

— Ah, je comprends! s'écria-t-elle avec irritation. Ils vous dédaignent, n'est-ce pas? Pauvre chéri! Mais attendez un peu! (Il approuva.) Attendez! Avec moi, cela ne traînera pas. Bon — et qui d'autre?

— Le marquis, quelquefois, et les chanoines de l'église collégiale.

— Mariés?

— Les chanoines...

Ses yeux pétillèrent.

— Ah! j'oubliais votre horrible célibat. En Angleterre, ils seraient les grands animateurs. Mais pourquoi ne ferais-je pas leur connaissance? Si je rendais visite à tout le monde, cela irait-il mieux? Vous avez bien cette habitude, à l'étranger?

« Cela n'irait pas mieux, » pensait Gino.

— Mais il faut bien que je rencontre quelqu'un. Quels étaient ces hommes à qui vous parliez cet après-midi?

Des hommes du bas peuple. Gino se souvenait à peine de leurs noms.

— Mais, mon chéri, s'ils sont du bas peuple, pourquoi leur parler? Ne voulez-vous pas tenir votre rang?

Gino ne voulait rien que son farniente et quelque argent de poche, c'est ce qu'il exprima en s'exclamant :

— Ouf, ouf! Quelle chaleur ici dedans! Pas un souffle ; je ruisselle. J'expire. Jamais je ne dormirai si je ne prends pas le frais.

Brusque et drôle à son ordinaire, il courut vers la loggia où, étendu de tout son long sur la pierre du parapet, il fuma et cracha sous le silence des étoiles.

De cette conversation, Lilia retint l'impression vague que la vie de société, sur le Continent, n'était pas aussi anarchique qu'elle l'aurait cru. Mais où nichait la vie de société? Il est délicieux de vivre en Italie, si l'on a la chance d'être un homme. On y peut jouir d'un socialisme de luxe — de ce véritable socialisme qui se fonde sur l'égalité, non des droits ou des revenus, mais des manières. Dans la démocratie du café ou de la rue, le grand problème de notre vie a trouvé une solution : réellement, les hommes sont frères. Mais c'est aux dépens des sœurs. Et pourquoi ne serais-je pas l'ami d'un voisin de théâtre ou de wagon, lorsque je sais et lorsqu'il sait que jamais la critique, la perspicacité et l'injustice féminines ne viendront se mettre entre nous ! Nous pouvons devenir David et Jonathan : il n'aura pas besoin d'entrer dans ma maison, je n'entrerai pas dans la sienne. Toute la vie, nous nous rencontrerons en plein air, le seul « toit ancestral » du Sud, à l'abri duquel chacun crache, jure ou se néglige sans que personne s'en offense.

Quant aux femmes, pendant ce temps — elles ont leur maison et leur église, riche en services admirables et où la bonne les accompagne. Elles ne sortent pas beaucoup pour d'autres buts : marcher n'est pas très convenable et l'entretien d'une voiture coûte trop cher. De temps en temps, il faut les mener au café ou au théâtre — et, sur-le-champ, vos compagnons vous abandonnent tous, à une très rare exception : l'amoureux qui se croit et qu'on veut bien croire déjà de la famille. Tout cela est bien triste. Mais un fait consolant demeure : il fait bon vivre en Italie si l'on est un homme.

Jusqu'ici, Gino avait laissé sa liberté à Lilia. Son âge, sa fortune en faisaient un être supérieur, obéissant à des lois distinctes. Gino ne s'en étonnait qu'à demi, car le vent, par-dessus les Alpes, apportait des rumeurs de ces pays où hommes et femmes partagent intérêts et divertissements. Le

jeune homme, d'ailleurs, avait souvent croisé cette
maniaque privilégiée — la touriste qui se promène
seule. Lilia aussi se promenait seule ; un louche
individu ne lui avait même arraché sa montre que
la semaine précédente — car les incidents de cet
ordre, qu'on croit courants en Italie, le sont beaucoup moins qu'à Bond Street. Mais enfin, à connaître mieux sa femme, Gino perdait fatalement
son respect religieux : qui s'en étonnera quand, de
son côté, la nigaude perd une montre et sa chaîne
d'or? Gino, allongé sur le parapet, comprit pour la
première fois les responsabilités du mariage. Il
devait la garder contre les périls du monde et de
la société, car, après tout, elle était une femme,
« et moi, réfléchit-il, je suis jeune, sans doute, mais
je suis un homme et je sais ce qui est bien. »

Il vint la retrouver dans le salon, où elle se pei-
gnait (elle était souillon par nature et rien, dans
leur vie, n'exigeait qu'elle sauvât les apparences).

— Il ne faut plus sortir seule, dit-il gentiment.
Si vous désirez vous promener, Perfetta vous ac-
compagnera.

La cousine Perfetta était une veuve, trop
humble pour nourrir des aspirations sociales et qui
servait de factotum dans la maison.

— Mais oui, mais oui, dit Lilia en souriant, sur
le ton dont on parle aux chatons exigeants. Jamais
plus, cependant, jusqu'à sa mort, elle n'alla se
promener seule — sauf une fois.

Les jours passaient sans autres visites que celles
de parents pauvres. Lilia ressentit un peu d'ennui.
Gino ne connaissait-il pas le maire ou le directeur
de banque? Même la propriétaire du Stella d'Italia
eût été mieux que rien. Dans la ville, chacun faisait
bon visage à Lilia. Mais comment se lier avec une
dame qui ne parvient pas à apprendre votre
langue? Quant à la réception projetée, les adroites
manœuvres de Gino la reculaient de jour en jour.

Le jeune homme n'était pas sans inquiétude sur
le bien-être d'une épouse, qui ne trouvait pas sa
place au foyer. Une visite inattendue le réconforta
opportunément. Un après-midi qu'il était allé
chercher le courrier — on le distribuait à domicile,
mais le retirer à la poste prenait plus de temps —
quelqu'un lui jeta plaisamment un manteau sur
la tête et Gino, une fois dégagé, se trouva devant
son ami très cher, Spiridione Tese, douanier à
Chiasso, qu'il n'avait plus vu depuis deux ans.
Quelle joie! Quels embrassements! Les passants,
émus par tant d'affection, approuvèrent en souriant. Son frère ayant été nommé chef de gare à
Bologne, Spiridione pouvait, pendant ses vacances, parcourir toute l'Italie aux frais du Trésor
public. Puisque Gino venait de se marier, il avait
voulu lui rendre visite sur le chemin de Sienne, où
vivait son oncle, récemment marié, lui aussi.

— Tout le monde y vient, cria-t-il, sauf moi.
(Il n'avait pas tout à fait vingt-trois ans.) Mais

donne-moi des détails. Elle est Anglaise. Bon, très
bon. Une Anglaise est une très bonne femme. Elle
est riche?

— Immensément riche.

— Blonde ou brune?

— Blonde.

— Est-ce possible?

— Je suis très content, dit Gino avec simplicité. Si tu t'en souviens, j'ai toujours désiré une
blonde.

Trois ou quatre hommes s'étaient approchés
d'eux et écoutaient.

— Nous en désirons tous une, dit Spiridione.
Mais toi, Gino, tu mérites ton bonheur, car tu es
un bon fils, un homme de cœur et un véritable
ami ; dès le moment où je t'ai vu, j'ai souhaité
ton bonheur.

— Je te prie, pas de compliments, dit Gino, les
mains croisées sur la poitrine et le visage illuminé.

Spiridione prit à témoin les autres hommes, qu'il
ne connaissait nullement.

— Est-ce que je mens? Est-ce qu'il ne la mérite
pas, cette blonde riche?

— Il la mérite, dirent-ils en chœur.

Car ce pays est merveilleux, qu'on l'aime ou
non.

Il n'y avait pas de courrier et, naturellement,
les deux amis entrèrent au café Garibaldi, près de
l'église collégiale. Un excellent café pour une si

petite ville : tables de marbre ; piliers en terre
cuite à la base, dorés au sommet ; au plafond, une
fresque représentant la bataille de Solférino. On
n'aurait pu trouver une salle plus charmante. Ils
burent du vermouth tout en croquant des petits
fours glacés, qu'ils avaient choisis au comptoir,
gravement, en les pinçant pour vérifier leur fraîcheur et, malgré la modération du vermouth, Spiridione noya le sien d'eau gazeuse : cela lui portait à
la tête.

Les deux hommes, ravis, mêlaient curieusement
les compliments étudiés et les claques affectueuses.
Mais bientôt, les pieds sur deux chaises, ils com-
mencèrent à fumer.

— Dis-moi, reprit Spiridione. J'oubliais de te
demander — est-ce qu'elle est jeune?

— Trente-trois.

— Ah ! bon, on ne peut pas tout avoir.

— Mais tu serais surpris en la voyant. Si elle
avait dit vingt-huit, je m'y serais trompé.

— Est-ce qu'elle est *simpatica?* (Rien ne saurait
traduire ce mot.)

Gino tapota le sucre et, après un silence, dit :

— Suffisamment.

— C'est essentiel, insista Spiridione.

— Elle est riche, elle est généreuse, elle est
affable, elle parle sans morgue à ses inférieurs.

Un nouveau silence tomba.

— Cela ne suffit pas, dit l'autre. Pour moi, le

mot a un autre sens. (Il baissa la voix jusqu'au
murmure.) Le mois dernier, un Allemand voulait
passer des cigares en contrebande. Le bureau des
douanes était sombre. Pourtant, j'ai refusé parce
que sa tête ne me revenait pas. Les cadeaux de ces
gens ne portent pas bonheur. *Non era simpatico.*
Il a payé pour tous les cigares, plus l'amende.

— Est-ce que tu gagnes beaucoup en dehors de
ton traitement? demanda distraitement Gino.

— Je n'accepte plus les petites sommes. Le jeu
n'en vaut pas la chandelle. Mais l'Allemand,
c'était une autre histoire. Écoute-moi, Gino, car
je suis plus âgé et j'ai plus d'expérience que toi.
Quelqu'un qui vous comprend au premier regard,
ne vous irrite, ne vous ennuie jamais et à qui l'on
peut confier ses pensées ou ses rêves, en parlant
ou se taisant — voilà ce que j'appelle *simpatico.*

— Il y a des hommes de cette sorte, j'en connais,
dit Gino. Des enfants aussi, m'a-t-on dit. Mais une
femme — où vas-tu la trouver?

— C'est vrai. Là, tu es plus sage que moi. *Sono
poco simpatiche le donne.* Et elles nous font perdre
beaucoup de temps.

Il soupira mélancoliquement, comme écrasé par
la noblesse de son sexe.

— Je connais pourtant, reprit Gino, une jeune
dame qui... peut-être... Elle parlait peu, mais elle
était... différente des autres. Une Anglaise aussi :
elle voyageait avec ma femme. Mais Fra Filippo,

le beau-frère, l'a emmenée. Je les ai vus partir. Il
était furieux.

Puis Gino raconta l'histoire excitante de son
mariage secret et tous deux daubèrent sur l'in-
fortuné Philippe, qui avait traversé l'Europe pour
l'empêcher.

— Pourtant, dit Gino, quand ils eurent fini de
rire, je regrette de l'avoir fait basculer sur le lit.
Un homme grand, et large ! Je suis souvent impoli
quand je m'amuse vraiment.

— Tu ne le reverras jamais, dit Spiridione, qui
avait de la philosophie à revendre. Et déjà il n'y
pense plus.

— Oh ! quelquefois ces souvenirs durent plus
longtemps que les autres, dit Gino. Bien sûr, je ne
le reverrai jamais ; mais qu'il m'en veuille, ce n'est
pas pour moi un avantage. Et même s'il a oublié, je
regrette, moi, de l'avoir fait basculer sur le lit.

Ainsi se poursuivit leur conversation, tantôt
enfantine et pleine de tendre sagesse, tantôt scan-
daleusement crue. L'ombre des piliers s'allongea.
Les touristes, qui galopaient en face, à travers le
Palazzo Pubblico, purent noter de quelle façon les
Italiens perdent leur temps.

Leur vue, par contre, inspira à Gino une confidence :

— Je veux te demander conseil, puisque tu as
la bonté de t'intéresser à ma vie. Ma femme désire
se promener seule.

Spiridione fut choqué.

— Mais je le lui ai défendu.

— Évidemment.

— Elle ne comprend pas encore. Elle m'a quelquefois demandé de l'accompagner... dans des promenades sans but ! Si je l'écoutais, je serais auprès d'elle tout le jour.

— Je vois, je vois.

Spiridione, les sourcils froncés, réfléchit au secours qu'il pouvait apporter à son ami.

— Elle a besoin d'une occupation. Est-elle catholique?

— Non.

— C'est dommage. Il faut qu'elle se convertisse. Ce sera pour elle un immense soulagement pendant tes absences.

— Moi, je suis catholique, mais naturellement je ne vais jamais à l'église.

— Naturellement. Tu pourrais l'y mener, pourtant, les premières fois. Mon frère a fait cela pour sa femme, à Bologne, lui est devenu libre penseur. Il l'a menée une fois ou deux à l'église, elle en a pris l'habitude et maintenant, elle y va seule.

— Très bon conseil, je t'en remercie vivement. Mais elle veut donner des thés, où elle inviterait ensemble des hommes et des femmes qu'elle n'a jamais vus.

— Oh, les Anglais ! Ils ne pensent qu'à leur thé ! Ils en charrient des kilos dans leurs malles — et

toujours au-dessus avec leur malice coutumière !
Mais c'est absurde !

— Alors, que dois-je faire?

— Rien. Ou plutôt si : invite-moi.

— Viens ! cria Gino, en se levant d'un bond.
Elle sera ravie.

L'audacieux jeune homme s'empourpra.

— Penses-tu, je plaisantais !

— Je sais. Mais elle veut rencontrer mes amis.
Viens tout de suite. Garçon !

— Ah ! non ; si je viens, cria Spiridione, et si je
prends le thé avec vous, cette tournée-ci me
concerne.

— Jamais de la vie, tu es chez moi !

Une longue discussion s'ensuivit. Le garçon y
prit part et suggéra des solutions diverses. Gino
finit par l'emporter. L'addition s'élevait à dix-sept
sous, soit dix-huit avec le pourboire. Après des
flots de gratitude et d'égales protestations, au
comble de la politesse, les deux amis, soudain bras
dessus, bras dessous, dévalèrent la rue, en se
chatouillant de leurs pailles.

Leur arrivée enchanta Lilia. Gino, depuis longtemps, ne l'avait vue si animée. Le thé avait
l'odeur du foin ; ils demandèrent l'autorisation de
le boire dans un verre et refusèrent le lait ; mais
comme la jeune femme le fit remarquer plusieurs
fois, c'était « presque ça ». Spiridione avait des
manières très agréables ; il fit un baise-main

quand on le présenta ; et comme, par sa profession, il avait appris quelques mots d'anglais, la conversation ne tomba pas.

— Aimez-vous la musique? demanda Lilia.

— Passionnément, répondit-il. Je n'ai point étudié la musique scientifique, mais je connais la musique du cœur.

Elle joua donc, et fort mal, sur un piano quasi aphone et Spiridione chanta, moins mal. Gino sortit une guitare et chanta aussi, dans la loggia. Bref, une visite des plus agréables.

Gino partit avec son ami — le temps, dit-il, de le raccompagner.

— Tu as raison, déclara-t-il en chemin sans le moindre accent de malice ou de satire. Je ne mènerai plus personne à la maison. Je ne vois pas pourquoi une femme jouirait d'un traitement différent parce qu'elle est Anglaise. Nous sommes en Italie.

— C'est la sagesse ! s'exclama l'autre. C'est la sagesse même. Plus un bien est précieux, plus on doit le garder avec vigilance.

Gino raccompagna donc Spiridione, un peu plus loin que son logis, et ils passèrent, au café Garibaldi, une longue soirée délicieuse.

CHAPITRE IV

Un regret croît parfois en nous si lentement que
nous ne pouvons dire : « Hier, j'étais heureux ; je
ne le suis plus aujourd'hui. » Il n'y eut pas un
instant précis où Lilia comprit l'échec de son mariage. Mais l'été, puis l'automne la virent de plus
en plus malheureuse et bientôt aussi malheureuse
que son naturel le lui permettait. Son mari ne la
maltraita jamais et lui parla rarement avec dureté.
Simplement, il la laissa seule. Le matin, il allait à
ses « affaires », lesquelles consistaient (autant que
put découvrir Lilia) à s'asseoir dans la pharmacie.
Il revenait presque toujours pour déjeuner. Après
quoi, il allait dormir dans une autre pièce. Le soir,
ayant retrouvé sa vigueur, il prenait le frais sur
les remparts, dînait souvent dehors et ne rentrait
guère qu'à minuit ou plus tard. De temps à autre,
naturellement, il s'absentait pour quelques jours,
partait pour Empoli, Sienne, Florence, Bologne,
car il adorait les voyages et nouait, semblait-il, des
amitiés partout. Comme il le dit souvent à Lilia,
tout le monde l'aimait.

Il fallait s'affirmer, devina-t-elle, mais comment ?
Lilia, peu à peu, avait perdu la confiance en soi,
qui lui avait permis, naguère, de bousculer Philippe. Sa maison lui était étrangère. Qu'elle en
sortît, voici la petite ville étrangère. Qu'elle déso-
béît à son mari et se promenât seule, la campagne
serait plus étrangère encore : d'amples collines
tapissées d'oliviers et de vignes, avec leurs fermes
blanchies à la chaux et, dans le lointain, encore des
collines, avec d'autres fermes, d'autres oliviers,
d'autres petites villes, se découpant sur le ciel
clair. « Il n'y a pas de vraie campagne ici, disait-elle
souvent. Sawston Park est plus sauvage, ma foi ! »
C'était vrai, en un sens ; toute nature primitive
avait peu à peu disparu ; certaines de ces pentes
étaient cultivées depuis deux mille ans. Mais le
paysage n'en était pas moins terrible et mystérieux : sa présence continuelle inquiéta si fort Lilia
qu'elle en oublia tout son naturel et se mit à ré-
fléchir.

Elle réfléchit surtout à son mariage. La cérémonie elle-même avait été bâclée et onéreuse ;
Dieu sait ce qu'en avait été le rituel — en tout cas
pas anglican. Lilia, sans piété véritable, était en
proie, pendant des heures, à l'angoisse de n'être
pas « vraiment mariée ». Sa situation dans l'autre
monde ne serait-elle pas aussi irrégulière que dans
celui-ci ? Le plus sûr paraissait d'aller jusqu'au
bout : un jour donc, suivant le conseil de Spiri-

dione, elle embrassa la foi catholique — la foi, dit-elle, de Santa Deodata. Gino l'en approuva (lui aussi pensait que c'était plus sûr) ; elle trouva drôle de se confesser, bien que le prêtre fût un vieillard stupide ; enfin, c'était un beau soufflet pour « les autres, là-bas en Angleterre ».

« Les autres » prirent assez bien le soufflet ; restait-il même quelqu'un pour le recevoir ? Les Herriton étaient hors d'atteinte : ils refusaient à Lilia même le droit d'écrire à sa fille et ne laissaient passer, en sens inverse, qu'une lettre de temps à autre. Mrs. Theobald avait nettement pris parti pour les Herriton (dans la mesure où elle pouvait rien faire de net, car elle sombrait rapidement dans le gâtisme). Miss Abbott avait agi de même : chaque nuit, Lilia maudissait cette amie félone, qui, ayant donné sa bénédiction au mariage et affirmé que les Herriton s'y rallieraient, au premier signe d'opposition s'était enfuie, défaite et gémissante, en Angleterre. Le nom de Miss Abbott ouvrait la longue liste de tous ceux à qui l'on ne devait plus écrire ou pardonner. En dehors de la liste, il ne restait guère que Mr. Kingcroft, qui, à la surprise de Lilia, avait envoyé une lettre affectueuse et interrogatrice. Il n'y avait aucune chance qu'il traversât jamais la Manche et Lilia, dans sa réponse, donna libre cours à sa fantaisie.

Les premiers temps, elle avait vu quelques Anglais, Monteriano n'étant pas le bout du monde. Une ou deux dames à l'esprit curieux, ayant appris sa querelle avec les Herriton, lui rendirent visite. Elle les reçut avec enjouement. Femme sans préjugés, garçon charmant, pensèrent-elles, tout était donc pour le mieux du monde. En mai, pourtant, la saison était close : plus personne ne passerait avant le printemps suivant. Comme Mrs. Herriton l'avait souvent fait remarquer, Lilia n'avait pas de ressources intérieures. Elle n'aimait ni la musique, ni la lecture, ni le travail. Sa grande qualité, dans la vie, était un entrain ébouriffé, virant à la dispute ou au chahut selon les cas. Elle était plus couarde que soumise. Avec une douceur que lui eût enviée Mrs. Herriton, Gino la pliait à ses volontés. Quand elle eut assez ri de le laisser parler en maître, elle s'aperçut avec amertume qu'il n'accepterait pas de parler autrement. Disposant, au besoin, d'une excellente volonté, il n'eût pas reculé, pour la rendre efficace, devant l'emploi de serrures et de verrous. Le fond de sa nature était franchement brutal ; un jour, Lilia le toucha presque.

Ils ressassaient leur vieux débat : la femme peut-elle se promener seule?

— Je le fais toujours en Angleterre.

— Nous sommes en Italie.

— Oui, mais je suis la plus âgée. C'est donc moi qui déciderai.

— Mais moi, je suis votre mari, dit-il en souriant.

Leur déjeuner touchait à sa fin et Gino songeait à sa sieste. Aucune piqûre ne semblait l'atteindre. Lilia, dont l'irritation ne faisait que croître, finit ainsi par déclarer :

— D'ailleurs, j'ai l'argent.

Il parut horrifié.

« C'est le moment de m'affirmer, » pensa Lilia. Et elle répéta sa déclaration. Il se leva.

— Ainsi, je vous conseille plus de courtoisie, poursuivit-elle. Vous seriez fort embarrassé si je ne signais plus de chèques.

Lilia était peu psychologue, la peur, pourtant, la saisit vite. Ainsi qu'elle le dit, plus tard, à Perfetta : « Les habits de Gino cessèrent tout à coup de lui aller — ils étaient trop étroits ici, trop larges là. » Sa silhouette changea plus que son visage. Les épaules tombèrent, faisant plisser le dos et remonter les manches de la veste. L'homme ne semblait plus que bras. Contournant la table, il se rapprocha de la femme assise. Elle se dressa d'un bond et plaça la chaise entre eux deux. Elle avait trop peur pour parler ou fuir. Il la considéra avec des yeux ronds et vides, puis, lentement, avança la main gauche.

On entendit Perfetta venir de la cuisine. Le bruit parut éveiller Gino, qui tourna les talons et s'en fut dans sa chambre sans un mot.

— Qu'est-il arrivé? cria Lilia, presque évanouie. Il est malade — malade.

Perfetta, une fois informée, prit un air soupçonneux :

— Que lui avez-vous dit? demanda-t-elle en se signant.

— Presque rien, dit Lilia, se signant à son tour.

Tel fut l'hommage des deux femmes à leur mâle outragé.

Lilia comprit enfin : Gino l'avait épousée pour son argent. Mais l'épouvante, en elle, ne laissait plus de place au mépris. Le retour de Gino la terrifia, car lui aussi était épouvanté. Il se jeta à ses pieds, implora son pardon, l'enlaça, murmura des excuses (« ce n'était pas moi ») et tenta vainement de définir ce qui le dépassait. Il demeura trois jours à la maison, vraiment malade d'une dépression physique. Mais quel que fût le choc pour lui, il avait maté Lilia. Jamais plus elle ne menaça de lui couper les vivres.

Il la cloîtra davantage peut-être que les conventions ne l'exigeaient. Il était très jeune, en effet, et mettait tout son amour-propre à paraître savoir ce qu'on doit à une dame et comment on mène une épouse. Sa propre situation sociale ajoutait d'ailleurs à ses doutes. Les esprits nuancés ont, même en Angleterre, du mal à classer un dentiste. Cet embarrassant personnage hante une zone trouble entre les métiers et les professions libérales ; on peut le situer à peine au-dessous des docteurs, ou franchement parmi les pharmaciens, voire même plus bas. Le fils de notre dentiste italien partageait cet embarras. Non qu'il eût le moindre souci pour lui-même : il fréquentait qui lui plaisait, étant un homme, cette créature immuable et splendide. Pour sa femme, c'était autre chose : plutôt supprimer les visites que d'en faire mal à propos. La retraite satisfaisait à la fois décence et sécurité. Dans le bref combat opposant ainsi les idéaux du Nord et du Sud — cette fois le Sud l'avait emporté.

Si Gino avait réglé sa propre vie avec autant de rigueur — fort bien. Il ne s'avisa même pas, au contraire, de son manque de logique. Sa morale était celle du Latin moyen : élevé tout à coup au rang de gentleman, il ne vit pas pourquoi il n'en adopterait pas les libertés. Une autre Lilia, dirat-on — capable d'affirmer son caractère et son influence sur Gino — eût fait de lui un homme meilleur en même temps qu'un meilleur mari. C'est possible, mais non probable. Il eût pu, en tout cas, adopter le niveau moral de l'Anglais, plus haut en principe, sinon en acte. Mais une autre Lilia eûtelle épousé Gino?

Lorsqu'elle apprit — par accident — qu'il la trompait, Lilia perdit le peu de bonheur satisfait qui lui restait encore. Brisée, elle tomba en sanglotant dans les bras de Perfetta. Celle-ci fit

preuve de gentillesse, et même de sympathie, puis
la mit en garde : surtout pas un mot à Gino, dit-
elle ; il serait furieux d'être soupçonné. Lilia promit,
en partie parce qu'elle avait peur, et, en partie,
parce que, tout bien pesé, c'était la meilleure attitude, la plus digne. Elle avait tout abandonné
pour lui — fille, parents, amis, tous les petits
conforts et les luxes d'une vie civilisée. En admettant qu'elle eût le courage de rompre, personne,
maintenant, ne la recevrait plus. Les Herriton,
dans leur combat, s'étaient montrés presque méchants. Tous les amis de Lilia l'avaient lâchée l'un
après l'autre. Le mieux était de rester là, vivre
humblement, sentir le moins possible et tenter
d'arranger les choses par une gaieté d'apparence.
« Si j'avais un enfant, il changerait peut-être,
pensa-t-elle. Je sais qu'il désire un fils. »

Lilia atteignit ainsi à une beauté pathétique, en
dépit d'elle-même, car il existe quelques situations
où la vulgarité ne compte plus. Cordélia ou Imo-
gène ne méritent pas davantage nos larmes.

Lilia aussi pleurait fréquemment, ce qui la vieil-
lissait et la faisait paraître laide, au désespoir de
son mari. Il se montrait particulièrement affectueux depuis qu'il la voyait à peine. Elle recevait
cette affection sans rancune, avec gratitude même,
tant elle était devenue docile. Elle n'avait aucune
haine, comme elle n'avait eu aucun amour. Ces deux
passions ne l'agitaient jamais qu'en apparence,

sous le fouet de l'excitation. On la disait têtue :
en vérité, elle était faible d'esprit, donc froide.
Mais la souffrance est autre chose. Elle dépend
moins du tempérament. La plus subtile des
femmes n'eût guère souffert davantage.

Quant à Gino, il était enfantin à son ordinaire
et portait ses iniquités plus légèrement qu'une
plume. « Ah oui, il faut se marier ! avait-il cou-
tume de dire. Spiridione a tort sur ce point ; je
me dois de le convertir. Avant le mariage, on n'a
aucune idée des plaisirs et des possibilités de la
vie. » Ce disant, il décrochait son chapeau de
feutre, le bosselait juste au bon endroit, comme
l'Allemand le bosselle juste au mauvais, et partait.

Un soir, après un tel départ, Lilia ne put supporter plus longtemps cette existence. On était
en septembre — la fin des vacances, là-bas à
Sawston, pensa-t-elle, tout le monde rentrait. On
courait d'une porte à l'autre tout au long de la
grand-rue. Des gymkanas étaient annoncés et le
30 septembre, Mrs. Herriton présiderait à la vente
de charité des C. M. S. dans son jardin. Une existence si libre, si heureuse, était-elle croyable ? La
jeune femme sortit sur la loggia. Clair de lune,
étoiles dans la douceur violette du ciel. Les murailles de Monteriano devaient être admirables
par une telle nuit. Mais la maison leur tournait
le dos.

On entendait Perfetta cogner dans la cuisine ;

pour descendre, il fallait emprunter l'escalier passant devant sa porte ; mais on pouvait, de la
grande salle, par l'escalier qui ne servait jamais,
parvenir au grenier et, à condition d'en ouvrir la
porte, déboucher au sommet de la maison et, sur
la terrasse carrée, goûter dix minutes de marche
dans une liberté paisible.

La clef se trouvait dans la poche du plus beau
costume de Gino — ce damier anglais qu'il ne
portait plus. L'escalier craqua, le pêne grinça ;
mais Perfetta se faisait sourde. Les murailles de la
ville étaient belles : l'ombre, cependant, les cou-
vrait, car elles font face à l'Ouest. Pour les voir
s'éclairer, il fallait marcher autour de l'enceinte,
jusqu'au point où la lune montante l'effleurait de
ses rayons. Lilia jeta vers la maison un regard
anxieux et partit.

La marche était facile car un sentier courait au
pied même des remparts. La jeune femme était
nu-tête et les rares personnes qu'elle rencontra, la
prenant pour une paysanne, lui souhaitèrent un
cordial bonsoir. L'enceinte tournait vers la lune ;
et soudain Lilia, émergeant en pleine lumière, vit
la rude masse des tours se métamorphoser en
piliers d'argent et de nuit, tandis que les murailles
se muaient en falaises ruisselantes de perles. Moins
sensible à la beauté que sentimentale, elle fondit
en larmes ; car à cet endroit même, où un cyprès
rompait la monotone ceinture d'oliveraies, elle

s'était assise, par un après-midi de mars, la tête au creux de l'épaule de Gino, tandis que Caroline regardait le paysage et dessinait. Il suffisait de tourner le coin pour aboutir à la porte de Sienne, d'où partait la route vers l'Angleterre ; et Lilia pouvait entendre le roulement de la diligence qui assurait la correspondance avec le train du soir pour Empoli. Déjà la voiture débouchait sur elle, en effet, car la grand-route obliquait dans la direction de la jeune femme avant de dévaler la côte en longs zigzags.

Le voiturier ralentit et l'invita à monter. Il ne la connaissait pas, mais elle pouvait aller à la gare.

— *Non vengo!* cria-t-elle.

Il lui souhaita le bonsoir et fit tourner ses chevaux. A cet instant, Lilia vit que la voiture était vide.

— *Vengo...*

Sa voix tremblait et n'atteignit pas l'homme. Les chevaux prirent le trot.

— *Vengo! Vengo!*

Il s'était mis à chanter et n'entendit rien. Elle courut sur la pente, en hurlant : « Je viens ! Arrêtez ! » Mais la distance croissait toujours entre elle et la voiture, dont le bruit devenait de plus en plus fort. Le dos de l'homme se détachait, noir et trapu, contre la lune : qu'il se tournât un seul instant et elle était sauvée. Elle essaya de couper le prochain zigzag, courut en trébuchant sur les mottes énormes, dures comme du roc, entre les

éternels oliviers. Trop tard ! Juste à l'instant de
sauter sur la route, elle vit, dans un grondement,
rouler l'avalanche, labourant la poussière et la
soulevant en gros nuages éclairés par la lune.

Elle ne cria plus, car elle se sentit défaillir soudain et s'évanouit. Elle se retrouva allongée sur
la route, de la poussière dans les yeux, de la poussière dans la bouche, de la poussière dans les
oreilles. Il y a quelque chose de terrible dans la
poussière, la nuit.

— Que faire ? gémit-elle. Il va être furieux.

Et sans plus réagir, lentement, elle remonta
vers sa prison, en tapotant sa robe.

La malchance devait la poursuivre jusqu'au
bout. Ce soir fut, par hasard, un de ceux où Gino
rentrait. Il était dans la cuisine, jurant et brisant
des assiettes, tandis que Perfetta sanglotait violemment, la tête sous son tablier. Dès qu'il aperçut
Lilia, il tourna sa rage contre elle, avec un tor-
rent d'injures diverses. Il était plus furieux, mais
moins inquiétant qu'en ce fameux jour où il
s'était glissé vers elle en contournant la table.
Mais Lilia puisa plus de courage dans sa mauvaise
conscience qu'elle n'avait jamais fait dans la
bonne ; les insultes de Gino l'indignèrent et elle
cessa de le craindre, ne vit en lui plus rien qu'un
parvenu, cruel, sans valeur, hypocrite et dé-
bauché. Elle répliqua donc.

Malgré les cris aigus de Perfetta, elle dit tout à

Gino — ce qu'elle savait, ce qu'elle pensait. Lui, planté, bouche bée, vidé de sa colère et tout honteux, se sentait le dernier des imbéciles. Il était, à bon endroit, mis proprement au pied du mur. Un mari s'était-il jamais trahi si sottement? Elle acheva son discours, et il se tut, car elle avait dit vrai. Mais, hélas! l'absurdité de sa situation lui apparut soudain et il éclata de rire, comme il l'eût fait au théâtre.

— Vous riez? dit Lilia d'une voix entrecoupée.

— Ah! cria-t-il, comment ne pas rire? Moi qui pensais que vous ne saviez, que vous ne voyiez rien — je suis pris — je suis battu. J'abandonne. N'en parlons plus.

Il lui toucha l'épaule, en camarade, mi-rieur et mi-repentant. Puis, souriant et parlant à voix basse pour lui-même, fila sans bruit hors de la pièce.

Perfetta se répandit en compliments.

— Quel courage! s'écria-t-elle. Et quelle chance! Sa colère est tombée! Il vous a pardonné!

Aucun des trois (pas même Lilia) ne saisit la vraie cause des misères qui suivirent. Gino, jusqu'à la fin, crut qu'avec de la bonté et un peu d'attention on arrangerait les choses. Ma femme, pensait-il, n'a rien que d'ordinaire, pourquoi nos idées différeraient-elles à ce point? Aucun d'eux ne comprit que le conflit les dépassait, qu'il était national, que des générations d'ancêtres, bons, mauvais ou indifférents, interdisaient à l'homme

latin de se montrer chevaleresque envers la femme
nordique, comme à cette dernière de pardonner à
l'homme latin. Tout cela était prévisible : Mrs. Herriton l'avait prévu sur l'heure.

Tandis que Lilia admirait son propre héroïsme,
Gino, ingénument, s'étonnait qu'elle ne se rangeât
pas à son avis. Il avait horreur des soucis et eût
souhaité des consolations, mais ne se confia à personne dans la ville, de peur qu'on ne mît ses difficultés au compte de sa propre incompétence. Spiridione, pris pour confident, répondit de façon plus
philosophique qu'utile. L'autre ami, le plus digne
de confiance, servait en Érythrée ou dans quelque
désert perdu. Tout lui expliquer eût été trop long.
Et d'ailleurs, à quoi bon écrire? Les amis ne
voyagent pas par la poste.

Par bien des points semblable à son mari, Lilia,
elle aussi, avait soif de consolations et de sympathie. Ce fameux soir, quand Gino l'eut quittée
en se moquant d'elle, elle se rua sur sa plume et
écrivit page sur page : elle traça le portrait de
Gino, dénombra ses iniquités et, rapportant des
conversations entières, exposa l'origine et le cours
de son malheur. La passion l'avait mise hors d'elle-
même. Tout incapable qu'elle fût de penser et de
voir, elle atteignit soudain à un lyrisme qu'un
professionnel lui eût envié. Son texte avait la
forme d'un journal ; elle apprit, de sa conclusion,
à qui elle le destinait.

« Irma, Irma chérie, c'est pour toi que j'écris.
J'oublie presque, ici, que j'ai une fille. Tu seras
malheureuse en lisant cette lettre, mais je veux
que tu saches tout et tu ne peux être avertie trop
tôt. Dieu te bénisse, ma chère enfant, et te protège. Dieu bénisse aussi ta mère infortunée. »

Par bonheur, Mrs. Herriton était chez elle
lorsque la lettre arriva. Elle s'en empara et l'ouvrit
dans sa chambre. Une heure plus tard ou plus tôt,
la paix enfantine d'Irma eût été à jamais détruite.

Lilia reçut d'Harriet un billet, interdisant à
nouveau toute communication directe entre mère
et fille, et se terminant par une formule de compas-
sion polie. Elle crut en devenir folle.

— Doucement ! Doucement ! dit Gino.

Tous deux étaient assis dans la loggia lorsque
le billet arriva. Gino passait, maintenant, des
heures auprès de sa femme, à la regarder sans
comprendre, anxieux, mais non repentant.

— Ce n'est rien.

Elle rentra, déchira le billet et se mit à écrire.
Sa lettre, très courte, disait en substance : « Venez
à mon secours. »

Il n'est pas agréable de voir sa femme pleurer
en écrivant — surtout si l'on a conscience de
l'avoir traitée, somme toute, avec bon sens et
bienveillance. Il n'est pas agréable d'apprendre,
par un regard fortuitement jeté par-dessus son
épaule, qu'elle écrit à un homme. Et à l'instant de

quitter la pièce, elle ne devrait pas menacer du poing son mari, en supposant qu'il n'en voit rien parce qu'il allume son cigare.

Lilia mit elle-même sa lettre à la poste. Mais on peut arranger beaucoup de choses en Italie. Le postier étant un ami de Gino, Mr. Kingcroft ne reçut jamais le billet.

Ayant ainsi perdu tout espoir de salut, elle tomba malade et garda le lit tout l'automne. Gino était sombre. Elle savait pourquoi : il désirait un fils. Il y pensait sans cesse et ne pouvait plus parler d'autre chose. Devenir père d'un homme comme lui — cet unique désir l'étreignait avec une force qu'il comprenait mal. C'était sa première passion, en effet : qu'était l'amour, ivresse physique et banale, pareille aux joies du soleil et de l'eau, à côté de cette divine promesse d'immortalité : « Je durerai »? Il fit brûler des cierges à Santa Deodata (car chaque crise lui rendait sa religion), vint même la prier dans sa chapelle et lui présenter sa requête avec la gauche crudité des simples. Impétueusement, il ordonna à toute sa famille de venir l'assister dans son épreuve et Lilia vit errer autour d'elle des visages étranges dans l'ombre de la chambre aux volets clos.

— Mon amour ! disait-il, ma Lilia chérie ! Ne vous tourmentez pas. Je n'ai jamais aimé que vous.

Elle, n'ignorant rien, ne répondait que par un doux sourire ; elle était trop brisée par la souffrance pour répliquer par des sarcasmes.

Avant la naissance, il l'embrassa et dit :

— J'ai prié toute la nuit pour que ce soit un petit garçon.

Mue par un étrange élan de tendresse, elle dit faiblement :

— C'est vous qui êtes un petit garçon, Gino.

Il répondit :

— Alors, nous serons frères.

Il se tint couché au seuil de la chambre, la tête appuyée à la porte, comme un chien. Quand on vint lui annoncer la bonne nouvelle, on le trouva à demi inconscient et le visage baigné de larmes.

A Lilia aussi, quelqu'un dit : « C'est un beau petit garçon ! » Mais elle était morte en donnant le jour à son fils.

CHAPITRE V

Philippe Herriton avait vingt-quatre ans quand Lilia mourut, la nouvelle parvint même à Sawston le jour de son anniversaire. C'était un grand jeune homme frêle, dont il fallait judicieusement rembourrer les costumes aux épaules pour lui donner une allure passable. Son visage, plutôt laid, offrait un curieux mélange de traits agréables et désagréables. Il avait un beau front, un bon gros nez et des yeux qui manifestaient observation et sympathie. Mais au-dessous du nez, tout n'était que chaos : ceux qui voient les signes du destin dans la bouche et dans le menton secouaient la tête en le regardant.

De ces défauts, Philippe lui-même avait eu, dès l'enfance, une conscience aiguë. A l'école, parfois, quand ses camarades l'avaient terrorisé ou houspillé, il se réfugiait dans sa cellule du dortoir et, s'examinant dans la glace, soupirait : « C'est un visage faible. Jamais je ne me taillerai une place en ce monde. » Mais, les années passant, il était devenu moins obsédé ou plus satisfait de lui-

même. L'univers, découvrit-il, lui réservait, comme
à tout le monde, une niche. La décision pouvait
venir plus tard. Peut-être aussi la possédait-il sans
le savoir. En tout cas, il avait reçu deux dons très
désirables : le sens de la beauté et celui de l'humour.
Le sens de la beauté s'épanouit d'abord. Il lui dut,
à vingt ans, de porter des cravates multicolores
et des chapeaux très mous, d'arriver en retard à
table à cause d'un soleil couchant et de pincer l'art
comme un rhume de Burne-Jones à Praxitèle. A
vingt-deux ans, il visita l'Italie avec des cousins
et confondit en une synthèse esthétique oliveraies,
azur, fresques, auberges, saints, paysans, mo-
saïques, statues et mendiants. Il en revint avec
l'air du prophète, qui doit ou repétrir Sawston ou
le rejeter au néant. Toutes les énergies, tous les
enthousiasmes d'une existence à peu près dé-
pourvue d'amis nourrissaient sa nouvelle flamme :
il devint le champion de la beauté.

Ce ne fut pas long. Le combat fini, rien n'avait
bougé, ni dans Sawston, ni dans son âme. Il avait
choqué cinq ou six personnes, cherché pouilles à sa
sœur, querellé sa mère. Rien ne pouvait donc
bouger, conclut-il — ignorant que, parfois, l'amour
humain ou l'amour de la vérité triomphent là où
l'amour du beau échoue.

Un peu désenchanté et las, mais esthétiquement
intact, il reprit une vie paisible où l'humour, second de ses dons, trouva une place de plus en plus

grande. Faute de pouvoir réformer le monde, il pouvait en rire et, ainsi, s'assurer, du moins, une supériorité intellectuelle. Le rire est signe de santé morale, lisait-il quotidiennement ; il le crut et rit, satisfait de soi, jusqu'au jour où le mariage de Lilia vint à jamais ruiner cette satisfaction. L'Italie terre de beauté, était déchue. Son contact n'avait pas le pouvoir de changer les hommes et les choses. Par contre, elle pouvait nourrir la brutalité, l'avarice, la bêtise — pis encore, la vulgarité. Sur sa terre, sous son influence, une sotte avait épousé un goujat — Philippe détestait ce Gino, destructeur de son idéal. Quand survint la fin du drame sordide, ce fut moins la pitié qui lui serra le cœur qu'une ultime désillusion.

Mrs. Herriton trouva la désillusion bienvenue. Une petite épreuve s'annonçait pour elle et elle ne fut pas fâchée de voir se resserrer sa famille à son entour.

— Faut-il porter le deuil, à votre avis?

Elle consultait toujours ses enfants si possible.

— C'est notre devoir, déclara Harriet. (Elle s'était montrée fort désagréable envers Lilia, mais les morts méritent notre attentive sympathie.) Après tout, elle a souffert, dit-elle. Cette lettre m'a empêchée de dormir pendant plusieurs nuits. On dirait une de ces horribles pièces modernes où personne n'a raison. Mais si nous prenons le deuil, il faudra mettre Irma au courant.

— Bien sûr, il faut mettre Irma au courant ! dit Philippe.

— Bien sûr, dit Mrs. Herriton. Je crois seulement que nous pouvons encore lui laisser ignorer le mariage de sa mère.

— Moi, je ne crois pas ; elle a sûrement déjà des soupçons.

— Ce serait assez naturel. Mais Irma n'a jamais beaucoup aimé sa mère et une petite fille de neuf ans ne raisonne pas clairement. Elle voit tout cela comme une longue visite. Et il est important, très important de lui épargner un choc. L'enfant se fait, de ses parents, une image idéale dont sa vie entière dépend : si on la détruit, tout s'écroule — morale, conduite, enfin tout. Sans confiance absolue en quelqu'un, il n'y a pas d'éducation possible. Voilà pourquoi j'ai soigneusement évité de parler devant Irma de sa pauvre mère.

— Bon, mais le malheureux bébé, comment l'expliquerez-vous? D'après Waters et Adamson, il y a un bébé.

— Oui, nous sommes tenus d'en parler à Mrs. Theobald. Mais Mrs. Theobald ne compte pour rien. Elle dégringole rapidement. Elle ne voit même plus Mr. Kingcroft, qui, de son côté, Dieu merci, s'est consolé avec quelqu'un d'autre, m'a-t-on dit.

Philippe insista :

— Il faudra bien, dit-il, que cette enfant apprenne un jour la vérité.

Quelque chose, il ne savait quoi, le gênait un peu.

— Le plus tard sera le mieux. Irma se développe de jour en jour.

— C'est bien malheureux, vous ne trouvez pas?

— Pour Irma?

— Pour nous, peut-être. Cette perpétuelle dissimulation n'est pas fameuse pour notre propre morale : il nous faut y songer aussi.

— Est-il bien nécessaire d'aller chercher si loin?... dit Harriet, mal à l'aise.

— Nullement, dit sa mère. Ne nous égarons pas. Ce bébé n'est pas en question. Mrs. Theobald ne fera rien et nous n'avons pas à nous mêler de cette histoire.

— L'héritage sera modifié, en tout cas, dit-il.

— Non, mon petit, très peu. Le pauvre Charles a paré à tout dans son testament. Harriet et toi allez hériter, comme tuteurs d'Irma.

— Bon. L'Italien aura-t-il quelque chose?

— Il aura tout ce qu'elle possédait. Pas grand-chose, tu le vois.

— Bon. Voilà donc notre tactique : nous ne parlons du bébé à personne, pas même à Miss Abbott.

— C'est sûrement l'attitude à prendre, dit Mrs. Herriton, qui préférait « attitude » à « tactique » (à cause d'Harriet). Et d'ailleurs, pourquoi en parler à Caroline?

— Elle a été si mêlée à l'histoire.

— Pauvre petite bécasse. Mieux vaut, pour son bonheur, lui en parler le moins possible. Je plains maintenant Caroline. Si quelqu'un a souffert et s'est repenti, c'est bien elle. Quand je lui ai rapporté un peu — oh! très peu — de cette terrible lettre, elle a éclaté en sanglots. Je n'ai jamais vu remords plus sincère. Il faut lui pardonner et oublier. Laissons les morts enterrer les morts. Et nous, à leur sujet, laissons Caroline tranquille.

Mrs. Herriton manquait de logique, Philippe le sentit, mais quel avantage à le dire?

— Une vie nouvelle commence ici, donc. Mère. rappelez-vous notre conversation au départ de Lilia.

— Oui, mon chéri ; mais cette fois, c'est vraiment une Vie nouvelle, car nous sommes tous d'accord. Tu étais encore entiché de l'Italie. Elle est peut-être riche en tableaux et en églises, mais nous ne saurions juger un pays que sur ses hommes.

— Très vrai, dit-il avec tristesse.

Puis il s'en fut, puisqu'ils étaient d'accord sur la tactique, se promener seul et sans but.

Lorsqu'il revint, deux événements importants avaient eu lieu. Irma avait appris la mort de sa mère et Miss Abbott, venue pour une quête, l'avait apprise aussi.

Irma avait pleuré bruyamment, posé deux ou trois questions raisonnables parmi beaucoup d'autres

fort sottes et s'était contentée de réponses évasives.
Par bonheur, on était à la veille de la distribution
des prix et cette perspective, jointe à celle de nouveaux vêtements noirs. l'empêcha de méditer sur
le fait que Lilia, si longtemps absente, l'était, désormais, pour toujours.

— Quant à Caroline, dit Mrs. Herriton, elle m'a
presque effrayée. Le choc a été terrible. Elle pleurait encore en sortant de la maison. Je l'ai consolée
de mon mieux et je l'ai embrassée. C'est déjà
quelque chose que le fossé entre elle et nous soit
désormais comblé.

— N'a-t-elle posé aucune question... j'entends
sur les causes de la mort?

— Oui, elle m'a questionnée. Mais c'est un esprit
des plus délicats : devinant ma réticence, elle n'a
pas insisté. Vois-tu, Philippe, je puis te dire maintenant ce que j'ai tu devant Harriet, dont la logique est sans nuance. Il vaut vraiment mieux que
Sawston ignore l'existence de ce bébé. Nous n'aurions plus ni paix, ni confort si les gens venaient
s'informer à son sujet.

Elle connaissait ses faiblesses. Il approuva avec
enthousiasme. Et quelques jours plus tard, le
hasard l'ayant mis dans le train de Londres face à
face avec Miss Abbott, il goûta, pendant toute leur
conversation, le plaisir excitant de l'homme secrètement informé. Ils n'avaient plus voyagé ensemble
depuis leur traversée d'Europe, en revenant de

Monteriano. Abominable voyage ! Philippe, par as-
sociation d'idées, s'attendait à quelque nouvelle
abomination.

Il fut surpris. Entre Sawston et Charing Cross,
Miss Abbott révéla des qualités qu'il n'avait jamais
soupçonnées. Sans se montrer précisément origi-
nale, elle fit preuve d'une louable intelligence et
Philippe sentit en elle, malgré sa gaucherie, parfois
son manque de distinction, quelqu'un dont l'amitié
valait d'être cultivée.

Elle l'ennuya d'abord. Ils parlaient, naturellement, de Lilia et, rompant soudain avec les vagues
apitoiements, elle dit de façon abrupte :

— L'histoire m'apparaît aussi étrange que tragique. Et le moins étrange ne fut pas ma propre
conduite.

C'était sa première allusion à son attitude déplorable.

— N'y pensez plus, dit-il. C'est fini maintenant.
Laissons les morts enterrer les morts. Tout cela
est sorti de notre vie.

— Voilà pourquoi je puis vous en parler comme
j'ai si souvent désiré le faire. Vous m'avez jugée
sotte, sentimentale, privée de sens moral et folle ;
vous n'avez pourtant pas connu l'étendue de ma
faute.

— En vérité, je n'y pense jamais, dit avec douceur Philippe.

Il connaissait son naturel, généreux et droit

dans l'ensemble. A quoi bon une confession? Mais elle poursuivit :

— Dès notre premier soir à Monterinao, Lilia partit seule faire une promenade, vit cet Italien pittoresquement assis sur un mur et en tomba amoureuse. Il était mal nippé et elle ignorait même qu'il fût le fils d'un dentiste. Je dois vous dire qu'elle m'avait habituée à ce genre d'incident. Une ou deux fois déjà, j'avais dû éconduire des importuns.

— Oui ; nous comptions sur vous, dit Philippe avec une dureté soudaine. Après tout, si Miss Abbott tenait à lui révéler ses pensées, il fallait qu'elle en acceptât les conséquences.

— Je le sais, répliqua-t-elle avec une dureté égale. Lilia le revit plusieurs fois par la suite ; je sentis qu'il fallait intervenir. Je l'appelai, un soir, dans ma chambre. Elle eut grand-peur, sachant ce que j'allais lui dire et quelle était ma sévérité. « Aimez-vous cet homme? » lui demandai-je. « Oui ou non? » Elle répondit : « Oui. »« Alors pourquoi ne pas l'épouser, lui dis-je ; si vous pensez que vous seriez heureux? »

— Vraiment! Vraiment! cria Philippe, aussi exaspéré que si l'événement eût daté de la veille. Vous qui avez connu Lilia dès l'enfance! Comme si (toute autre considération mise à part) elle était capable de choisir ce qui la rendrait heureuse!

— Lui avez-vous jamais laissé le choix? lança Miss Abbott. Mon expression est peut-être impolie, ajouta-t-elle en essayant de se calmer.

— Disons, si vous voulez, « malheureuse, » dit Philippe.

Quand il était embarrassé, il adoptait toujours un ton de sécheresse sarcastique.

— Je désire aller jusqu'au bout. Le lendemain matin, je rencontrai signor Carella et lui dis la même chose. Il... Il était d'accord. C'est tout.

— Et le télégramme? demanda Philippe, dédaigneusement tourné vers la fenêtre.

La voix de Miss Abbott, durcie jusque-là, soit par la volonté de s'accuser, soit par défi envers Philippe, devint indubitablement triste.

— Ah! le télégramme — une erreur! Sur ce point, Lilia fut plus lâche que moi. Nous aurions dû dire la vérité. Moi, en tout cas, je me suis sentie en faute. Quand je suis descendue à la gare, je voulais tout vous raconter. Mais nous avions commencé par un mensonge et j'ai eu peur. La même peur m'a ressaisie à la fin, et je suis partie avec vous.

— Quoi, vous comptiez vraiment rester?

— Oui, au moins quelque temps.

— Pour le plus grand bonheur des nouveaux mariés?

— Oui, pour leur plus grand bonheur. Lilia avait besoin de moi. Et je ne puis m'empêcher de croire que j'aurais pris, sur son mari, quelque influence.

— Je suis incompétent en la matière, dit Philippe, mais j'aurais plutôt cru que votre présence risquait de rendre la situation plus délicate encore.

Miss Abbott ne réagit pas à cette remarque tranchante. Fixant un regard morne sur une campagne sans grâce et surpeuplée, elle dit :

— Enfin, je vous ai expliqué.

— Pardonnez-moi, Miss Abbott, mais sur la plupart des points vous avez relaté, plutôt qu'expliqué, votre conduite.

Elle était prise au piège et Philippe s'attendit à la voir fondre en larmes. A sa grande surprise, elle répondit non sans malice.

— Une explication vous ennuierait peut-être. Mr. Herriton : elle implique d'autres considérations.

— Oh ! allez-y !

— Je détestais Sawston, comprenez-vous ?

Il fut charmé :

— Moi aussi, et je le déteste encore. Magnifique ! Continuez.

— Je détestais son oisiveté, sa sottise, sa respectabilité, son altruisme mesquin.

— Son égoïsme mesquin, corrigea-t-il. (La psychologie de Sawston était depuis longtemps la spécialité de Philippe.)

— Son altruisme mesquin, reprit-elle. Chacun, me semblait-il, y passe sa vie à consentir de menus sacrifices pour des buts qui lui sont indifférents, en faveur de personnes qu'il n'aime pas ; sans apprendre jamais à être sincère, et, ce qui n'est pas moins grave, sans apprendre jamais à se réjouir. Voilà ce que je pensais — ce que je pensais à Monteriano.

— Mais voyons, Miss Abbott ! s'écria-t-il. Vous auriez dû me dire cela plus tôt ! Continuez à le penser ! Je suis d'accord sur presque tous les points. Superbe !

— Eh bien ! poursuivit-elle, Lilia, malgré certains côtés que je n'aimais pas dans son caractère, avait du moins gardé le pouvoir de se réjouir avec sincérité. Quant à Gino, il me parut splendide, jeune, fort au-delà de la force physique, sincère et clair comme le jour. S'ils avaient envie de se marier, pourquoi pas ? Quel devoir imposait à Lilia de continuer une existence accablante ? Pourquoi, pensais-je, suivrait-elle encore et toujours l'ornière où elle s'est engagée jusqu'à une apathie pire que la souffrance et enfin jusqu'à la mort ? J'avais tort, naturellement. Lilia n'a fait que changer d'ornière et n'a pas gagné au change. Quant à lui, vous en savez plus long que moi. J'ai perdu toute confiance en mon jugement sur autrui. Mais je garde le sentiment que Gino n'était pas foncièrement mauvais à cette époque. Je puis risquer au

moins une affirmation : Lilia a dû manquer de
courage. Il n'était encore qu'un enfant et pouvait,
à mon sens, donner quelque chose de bon — elle
n'a, sans doute, pas su le prendre. Enfin — voilà
l'unique entorse que j'aie faite aux bienséances, et
voilà le résultat. Vous tenez votre explication,
maintenant.

— J'y ai pris grand intérêt, sans tout comprendre. N'avez-vous jamais pensé à la différence
de leurs niveaux sociaux?

— Nous étions folles — ivres de révolte. Nous
avions perdu le sens. Vous, au premier coup d'œil,
avez tout vu et tout prévu.

— Oh ! je n'en crois rien.

Il était vaguement choqué qu'on lui attribuât
le sens commun. Miss Abbott, un instant, lui était
apparue plus libre d'esprit que lui-même.

— J'espère, conclut-elle, que vous comprenez
maintenant pourquoi je vous ai infligé cette
longue histoire. Vous disiez, l'autre jour, des
femmes, que seule une confession publique les
soulage. Lilia morte et son mari dans une voie
mauvaise — tout cela à cause de moi ! J'en souffre
particulièrement, Mr. Herriton ; ce fut mon unique
contact avec ce que mon père nomme la « vie
réelle » — et voyez ce que j'en ai fait ! Cet hiver-là,
j'ai eu le sentiment de m'éveiller à la beauté, à la
magnificence, à je ne sais trop quoi encore ; et, le
printemps venu, j'ai eu envie de me battre contre

tout ce que j'abhorrais : la médiocrité, le gris, la
malveillance, la société. J'ai vraiment haï la société pendant un jour ou deux à Monteriano. Je
ne croyais pas que tous ces ennemis sont invin-
cibles et que nous serons mis en pièces si nous les
attaquons. Enfin, je vous remercie d'avoir écouté
mes absurdités jusqu'au bout.

— Oh ! j'ai beaucoup de sympathie pour ce que
vous dites, répondit Philippe sur un ton encoura-
geant. Vos jugements ne sont pas absurdes et je
les aurais portés moi-même, voici un an ou deux.
Mon sentiment est différent aujourd'hui et j'espère que vous changerez aussi. La société est, en
effet, invincible, jusqu'à un certain point. Mais
votre propre vie vous appartient et rien ne peut
l'atteindre. Aucun pouvoir sur terre ne saurait
vous empêcher de critiquer et mépriser le médiocre ; rien ne saurait vous interdire la retraite
vers la beauté, la magnificence, à l'intérieur des
pensées et des convictions qui composent votre vie
réelle — votre moi réel.

— Je n'ai pas encore connu cette expérience.
N'est-il pas nécessaire que je sois — et que ma vie
soit — là où je vis?

Évidemment, la philosophie lui restait fermée,
comme à la plupart des femmes. Mais elle possédait une personnalité remarquable. Philippe se
promit de la voir davantage

— Il reste une autre consolation, dit-il, aux victimes de la médiocrité invincible, c'est celle de se rencontrer. J'espère que d'autres discussions suivront celle-ci, entre nous.

Elle répondit avec bonne grâce. Le train atteignit Charing Cross ; ils se séparèrent. Chacun partit de son côté, lui vers une matinée théâtrale ; elle, vers l'achat de jupons pour indigentes obèses. Elle les acheta distraitement. L'abîme entre elle et Mr. Herriton, jadis très grand, lui paraissait immense.

Les événements et la conversation rapportés ci-dessus avaient eu lieu aux environs de Noël. La Vie nouvelle qu'ils inauguraient dura sept mois. Un petit incident — un simple petit incident contrariant — y mit un terme.

Irma collectionnait les cartes postales et Mrs. Herriton ou Harriet censurait toujours les courriers, de crainte que l'enfant n'y allât pêcher quelque horreur. L'image, ce jour-là, semblait parfaitement innocente ; une ribambelle de cheminées d'usine en ruine. Harriet allait la passer à sa nièce quand son regard fut accroché par les mots inscrits en marge. Elle poussa un cri et jeta vivement la carte dans la grille du foyer. Mais, naturellement, aucun feu n'y brûlait en plein juillet et Irma n'eut qu'à se baisser pour l'y reprendre.

— C'est trop fort ! hurla sa tante. Petite sotte ! Donne-moi ça !

Par malheur, Mrs. Herriton n'était pas dans la

pièce. Irma, qui ne craignait pas Harriet, se mit à gambader autour de la table en lisant : « Vue de la superbe cité de Monteriano. Votre piti frère. »

La stupide Harriet ayant attrapé l'enfant, la gifla et déchira la carte en menus morceaux. La fillette hurla de douleur puis d'indignation :

— Qui est mon petit frère? Pourquoi ne m'en a-t-on jamais parlé? Grand-maman! Grand-maman! Qui est mon petit frère? Qui est mon...

Mrs. Herriton fit irruption dans la pièce en disant :

— Viens, ma chérie, je vais te le dire. Tu es maintenant en âge de l'apprendre.

Irma sortit en pleurs d'une entrevue où elle avait, en fait, fort peu appris. Mais ce peu enflamma son imagination. Elle avait promis le secret — sans comprendre pourquoi. Mais quel mal pouvait-il y avoir à parler de ce petit frère à ceux qui en connaissaient déjà l'existence?

— Tante Harriet! répétait-elle. Oncle Phil! Grand-maman! Que fait-il maintenant, mon petit frère! A-t-il commencé à jouer? Est-ce que les bébés italiens parlent plus tôt que nous, ou bien est-ce que c'est un bébé anglais, né à l'étranger? Oh! comme je languis de le voir pour être la première à lui apprendre les dix Commandements et le catéchisme!

Cette dernière remarque assombrissait toujours le visage d'Harriet.

— Franchement, s'écriait Mrs. Herriton, Irma devient trop agaçante ! Elle a pourtant vite oublié la pauvre Lilia.

— Un frère vivant compte plus pour elle qu'une mère morte, dit pensivement Philippe. Elle peut lui tricoter des chaussettes.

— Je vais arrêter cela. Elle en parle à tout propos. C'est contrariant. L'autre soir, elle a demandé la permission de l'inclure dans la liste de ceux pour qui elle prie particulièrement.

— Qu'avez-vous dit ?

— Naturellement, j'ai donné la permission, répondit-elle froidement. Elle a le droit de prier pour qui elle veut. Mais ce matin, elle m'a agacée et je crains de l'avoir montré.

— Et qu'est-il arrivé, ce matin ?

— Elle a demandé la permission de prier pour son « nouveau père » — l'Italien !

— L'avez-vous laissé faire ?

— Je me suis levée sans répondre.

— Cela a dû vous rappeler le temps où je voulais prier pour le diable.

— Il est bien le diable ! s'écria Harriet.

— Non, Harriet, il est trop vulgaire.

— Ne te gausse pas de la religion, je te prie, répliqua Harriet. Pense à ce pauvre bébé. Irma a raison de prier pour lui. Quelle entrée dans la vie pour un enfant anglais !

— Ma chère sœur, je puis te rassurer. *Primo*,

ce sacré bébé est Italien ; *secundo*, il a été baptisé
sur l'heure à Santa Deodata et une puissante
constellation de saints veille sur…

— Assez, mon chéri. Et toi, Harriet, ne sois
donc pas si sérieuse — j'entends si sérieuse lorsque
tu parles à Irma. Elle ira de mal en pis si elle croit
que nous lui cachons quelque chose.

Les scrupules d'Harriet pouvaient être aussi
fatigants que l'absence de préjugés jadis affichée
par Philippe. Mrs. Herriton eut bientôt fait
naître pour sa fille l'occasion d'un voyage de six
semaines dans le Tyrol. Restés seuls, Mrs. Herriton et Philippe s'attaquèrent à l'obsession d'Irma.

A peine avaient-ils réussi à rétablir un certain
ordre, que l'impudent bébé envoyait une seconde
carte postale, comique et pas très convenable. Irma
la reçut quand elle était seule à la maison, et tout
recommença.

— Quel but poursuit-il en nous envoyant ces
cartes? dit Mrs. Herriton.

Deux ans plus tôt, Philippe aurait répondu qu'il
cherchait à donner du plaisir. Mais aujourd'hui,
comme sa mère, il essayait de découvrir des motifs
subtils et sinistres.

— Croyez-vous qu'il devine notre situation —
le désir angoissé d'étouffer le scandale?

— C'est fort possible. Il sait qu'Irma nous tra-
cassera en parlant du bébé. Peut-être espère-t-il
que nous l'adoptions pour avoir la paix.

— Bel espoir !

— Du même coup, il court la chance de cor-
rompre l'âme d'Irma.

Elle ouvrit un tiroir fermé à clef, prit la carte
postale et la considéra gravement.

— Il la supplie de répondre au bébé par une
carte, remarqua-t-elle ensuite.

— Et je ne serais pas étonné qu'elle le fît !

— Je le lui ai déconseillé ; mais il nous faut la
surveiller étroitement — sans avoir l'air de la
soupçonner, bien sûr.

Philippe commençait à goûter la diplomatie maternelle. Sa « propre santé morale » avait cessé de
l'inquiéter.

— Mais qui la surveillera à l'école? La marmite
peut déborder à tout moment.

— Comptons sur notre influence, dit Mrs. Herriton.

Le jour même, la marmite déborda. Irma était
capable de résister à une carte postale, non à deux.
Un nouveau petit frère représente, pour une éco-
lière, un capital sentimental appréciable et l'école
d'Irma, précisément, passait par une phase aiguë
d'adoration pour les bébés. Heureuse celle qui en
avait une pleine nichée, qui les embrassait au matin, avant le départ, avait le droit, au déjeuner,
de les extraire de leurs poussettes et les faisait
sauter encore pendant le thé, avant qu'ils dispa-
russent dans leurs berceaux ! Elle pouvait chanter

la chanson (non écrite) de Miriam, bénie entre toutes les écolières, et qui avait le droit de cacher son petit frère dans un lieu fort humide, où elle seule pouvait le retrouver !

Comment Irma aurait-elle gardé le silence devant des compagnes prétentieuses, qui parlaient de bébés cousins, de bébés en visite — elle qui avait un frère bébé et en recevait des cartes postales, sous couvert de son cher papa? Elle avait promis de n'en pas parler — pourquoi cette exigence? — et en parla. Une petite fille en parla à une autre ; une autre en parla à sa mère et tout fut révélé.

— Oui, c'est bien triste, répéta inlassablement Mrs. Herriton. Ma belle-fille a fait un mariage déplorable, inutile de vous le dire. L'enfant, je suppose, sera élevé en Italie. Sa grand-mère fera peut-être quelque chose, mais jusqu'à maintenant, je n'ai eu vent de rien. Je ne pense pas qu'elle le fasse venir. Le père n'a pas sa faveur. C'est une histoire très pénible pour elle.

Elle prit soin de ne gronder Irma que pour sa désobéissance — ce huitième péché capital, si utile aux parents et aux tuteurs. Harriet eût multiplié les explications inutiles et les reproches. La fillette, honteuse, parla moins du bébé. La fin de l'année scolaire approchait et elle espérait un nouveau prix. Cependant, elle aussi avait pris ses décisions.

On fut plusieurs jours sans voir Miss Abbott. Ni
Mrs. Herriton depuis leur baiser de paix, ni Philippe depuis leur voyage à Londres ne l'avaient
d'ailleurs beaucoup rencontrée. Le jeune homme
en avait été désappointé. Il craignait une régres-
sion : Miss Abbott n'ayant pas renouvelé sa remarquable manifestation d'originalité. Elle vint, ce
jour-là, quêter pour le Cottage Hospital — sa vie
entière étant consacrée à de mornes actes de
charité. Philippe donna, sa mère donna : la jeune
fille, cependant, restait assise au bord de sa chaise,
plus grave et figée que jamais.

— Vous avez sûrement appris la nouvelle, dit
Mrs. Herriton, qui savait bien de quoi il retournait.

— En effet. Je suis venue m'informer auprès de
vous : a-t-on pris des mesures?

L'extrême impertinence de cette question étonna
Philippe. Il en souffrit pour Miss Abbott, qu'il estimait.

— Pour l'enfant? demanda Mrs. Herriton d'un
ton aimable.

— Oui.

— Pas que je sache. Mrs. Theobald a peut-être
pris une décision, mais ne m'en a rien dit.

— Ma question concernait vos propres décisions
éventuelles.

— Nous n'avons aucun lien de parenté avec
l'enfant, dit Philippe. Il serait délicat de nous en
mêler.

Sa mère lui jeta un regard inquiet.

— J'ai presque considéré, jadis, la pauvre Lilia comme ma fille. Ainsi, je comprends Miss Abbott. Mais les choses ont changé maintenant. L'initiative revient, naturellement, à Mrs. Theobald.

— Mais n'inspirez-vous pas toutes les initiatives de Mrs. Theobald? demanda Miss Abbott.

Mrs. Herriton ne put s'empêcher de rougir.

— Je lui ai quelquefois donné des conseils, dans le passé. Je ne prendrai pas, aujourd'hui, la liberté de le faire.

— On ne va donc rien faire pour l'enfant?

— Vous êtes vraiment trop bonne, dit Philippe, de lui témoigner cet intérêt subit.

— L'enfant est venu au monde par ma négligence, répondit Miss Abbott. Il est bien naturel que je m'y intéresse.

— Ma chère Caroline, dit Mrs. Herriton, ne vous laissez pas obséder. Le passé est le passé. Pourquoi seriez-vous, plus que nous, préoccupée par cet enfant? Nous n'en parlons même jamais. Il appartient à un autre monde.

Miss Abbott se leva sans répondre et fit un pas vers la porte. Son extrême gravité inquiéta Mrs. Herriton.

— Naturellement, ajouta-t-elle, si Mrs. Theobald adopte un plan le moins du monde réalisable — et j'avoue que je n'en vois point — je lui demanderai, au nom d'Irma, l'autorisation de me joindre à elle et de participer à tous les frais éventuels.

— Dans ce cas, voulez-vous avoir la bonté de m'en aviser. Je voudrais participer aussi.

— Ma chère enfant, quel gaspillage ! Nous ne le permettrions jamais.

— Et si elle décide de ne rien faire, avisez-moi aussi. Avisez-moi dans tous les cas.

Mrs. Herriton insista pour l'embrasser. Dès qu'elle fut partie, Philippe explosa :

— Cette jeune personne a-t-elle perdu la tête? Jamais effronterie aussi énorme ! Il faudrait la renvoyer à l'école du dimanche après une bonne fessée.

Sa mère ne répondit rien.

— Mais ne voyez-vous pas, reprit-il, qu'en pratique elle nous menace? On ne s'en débarrassera pas en lui parlant de Mrs. Theobald ; elle sait aussi bien que nous que Mrs. Theobald compte pour zéro. Si nous ne faisons rien, elle va soulever un scandale, dire que nous négligeons nos parents, etc. ; ce qui est entièrement faux. Elle ne le dira pas moins. Oh ! la chère, sage et douce Caroline Abbott a décidément une fêlure ! Je m'en suis aperçu à Monteriano. Les soupçons m'ont repris un jour, dans le train, l'année dernière ; et cela recommence aujourd'hui. Cette jeune personne est folle.

Mrs. Herriton ne répondait toujours rien.

— Voulez-vous que j'aille aussitôt lui laver la tête? J'y prendrais grand plaisir, en vérité.

D'une voix basse et grave, qu'il n'avait plus entendue depuis des mois, Mrs. Herriton prononça :

— Caroline a montré une extrême impertinence. Mais ce qu'elle a dit n'est peut-être pas dépourvu de sens. Faut-il laisser l'enfant grandir en un tel lieu... et auprès d'un tel père?

Philippe eut un sursaut. Il vit que sa mère mentait et frissonna. Tant que sa mère avait menti aux autres, il s'était amusé ; qu'elle fît de même avec lui le déprima.

— Admettons-le franchement, poursuivit-elle. Nous avons, peut-être, nos responsabilités.

— Maman, je ne vous comprends pas. Vous faites demi-tour. Où voulez-vous en venir?

En un instant, une barrière infranchissable s'était élevée entre eux. L'atmosphère de souriante confiance avait disparu. Mrs. Herriton s'était engagée dans une tactique toute personnelle, qui dépassait Philippe ou même le minait.

Elle fut offensée par sa remarque.

— En venir? Je me demande si je ne devrais pas adopter l'enfant. Est-ce assez clair?

— Voilà donc le résultat de quelques imbécillités de Miss Abbott?

— Exactement. Elle a fait preuve d'une extrême impertinence, je le répète. Néanmoins, elle m'a montré mon devoir. Si je peux arracher l'enfant de la pauvre Lilia à cet homme horrible, qui en fera un mécréant ou un papiste, en tout cas un être vicieux, je ne manquerai pas de m'y employer.

— Vous parlez comme Harriet.

— Et pourquoi pas? dit-elle, rouge de colère, car c'était une insulte et elle le savait. Ajoute que je parle comme Irma. Cette enfant a vu plus clair que nous tous. Elle veut son petit frère. Elle l'aura. Je me moque d'être impulsive.

Philippe était sûr, au contraire, qu'elle n'était pas impulsive, mais il n'osa pas le dire tout haut. La virtuosité de sa mère l'effrayait. Elle s'était jouée de lui toute sa vie. Elle l'avait laissé adorer l'Italie et réformer Sawston — comme elle avait laissé Harriet adopter sa Low Church. Oui, elle l'avait bien laissé parler à sa guise. Mais chaque fois qu'elle voulait quelque chose, elle l'obtenait.

Elle effrayait Philippe, sans lui inspirer un respect profond. Car sa vie n'avait pas de sens et son fils le voyait. A quoi servaient sa diplomatie, ses mensonges, sa perpétuelle domination? Quelqu'un en était-il meilleur, ou plus heureux? En était-elle même, personnellement, plus heureuse? Harriet, avec sa bigoterie aigre et triste, Lilia, avec son avidité au plaisir étaient encore d'une qualité plus divine que cette machine logique, active et parfaitement inutile.

Blessé maintenant dans sa vanité, Philippe pouvait ainsi critiquer sa mère. Mais se révolter, non. Jusqu'à son dernier jour, sans doute, il était destiné à lui obéir. C'est donc avec une froide curiosité

qu'il considéra le duel entre elle et Miss Abbott.
La politique de Mrs. Herriton ne se révéla que par
degrés. Empêcher que Miss Abbott ne s'occupât
de l'enfant, l'empêcher à tout prix, et si possible à
moindre prix, tel en était le but. L'orgueil seul
charpentait son attitude. L'idée de paraître moins
charitable qu'une autre lui était insupportable.

— Je dresse un plan d'action possible, disait-elle
à la ronde, et cette bonne Caroline Abbott me seconde. Cela ne regarde ni l'une ni l'autre de nous,
mais nous sentons presque impossible d'abandonner
l'enfant aux mains de cet horrible individu. Nous
manquerions à notre devoir envers Irma ; après
tout, c'est son demi-frère. Non, nous n'avons rien
arrêté encore.

Miss Abbott demeurait polie, mais résolue à ne
pas se contenter de bonnes intentions. Assurer le
bien-être de l'enfant était pour elle un devoir sacré,
étranger à l'orgueil et même au sentiment. C'est
seulement en accomplissant ce devoir qu'elle ré-
parerait dans une faible mesure le mal qu'elle avait
laissé se manifester en ce monde. Monteriano était
devenu, dans son imagination, une cité de vice :
personne, à l'ombre de ses tours, ne pouvait vivre
heureux ou pur. Certes, Sawston, avec ses groupes
de villas, ses écoles snobs, ses thés littéraires et ses
ventes de charité, apparaissait mesquine et terne
— Miss Abbott pensait même, parfois, méprisable.
Mais ce n'était pas un lieu de péché. A Sawston, au

foyer des Herriton ou au sien propre, l'enfant se
développerait.

Dès que la décision parut inévitable, Mrs. Herriton adressa à MM. Waters et Adamson une lettre
qu'ils devaient transmettre à Gino — étrange
lettre, dont Philippe n'eut à lire que la copie. Son
dessein apparent était de protester contre l'envoi
de cartes postales illustrées. Nonchalamment, et
dans les toutes dernières phrases, Mrs. Herriton
offrait d'adopter l'enfant, à condition que Gino
n'essayât jamais de le revoir et rendît une part
du capital de Lilia pour participer à son éducation.

— Qu'en penses-tu? demanda-t-elle à son fils.
Il ne faut pas lui donner l'impression que nous
tenons à reprendre l'enfant.

— L'idée ne lui en viendra certainement pas.

— Mais quel effet lui fera la lettre?

— Après l'avoir lue, il fera son compte. S'il
gagne à n'avoir plus l'enfant à sa charge en lâchant
tout de suite un peu d'argent, il le lâchera. S'il y
perd, il feindra un amour paternel débordant.

— Mon chéri, tu es d'un cynisme choquant.
(Puis, après un silence, elle ajouta :) Comment
s'établira son compte?

— Je n'en sais absolument rien. Mais si vous
désiriez recevoir l'enfant par retour du courrier,
c'est *vous* qui deviez envoyer une petite somme.
Oh ! je ne suis pas cynique — je me base, en tout

cas, seulement sur ce que je sais de lui. Mais je suis
las de toute cette farce. J'en ai assez de l'Italie.
Assez, assez, assez. Sawston est un lieu bienveillant et pitoyable. N'est-il pas vrai? Je vais faire
une promenade et lui demander du réconfort.

Il sourit en parlant, pour se donner l'air de plai-
santer. Après son départ, Mrs. Herriton sourit à
son tour.

Ce fut vers les Abbott que Philippe dirigea ses
pas. Mr. Abbott lui offrit du thé et Caroline, pour
le servir, sortit de la pièce voisine, où elle cultivait
son italien. Philippe leur apprit que sa mère avait
écrit à signor Carella. Tous deux firent des vœux
ardents pour son succès.

— C'est très beau de la part de Mrs. Herriton,
très beau, en vérité, déclara Mr. Abbott. (Il ignorait, comme tout le monde, l'exaspérante conduite de sa fille.) Je crains que les frais ne soient
élevés. Elle n'obtiendra rien de l'Italie sans payer.

— Il y aura sûrement des à-côtés, dit prudemment Philippe. Puis, se tournant vers Miss Abbott,
il demanda : Pensez-vous que l'homme nous crée
des difficultés?

— Cela dépend, répondit-elle avec une prudence
égale.

— Ce que vous avez vu de lui, laissait-il prévoir un père tendre?

— Je ne me fie pas à ce que j'ai vu, mais à ce
que je sais de lui.

— Eh bien, qu'en concluez-vous?

— Qu'il est un homme essentiellement méchant.

— Oh! des hommes essentiellement méchants ont aimé leurs enfants. Rodrigo Borgia, par exemple.

— Et d'autres, que j'ai rencontrés dans ce pays même.

Sur quoi l'admirable jeune fille se leva et s'en fut reprendre son italien. Philippe demeura interdit. Il comprenait l'enthousiasme ; mais elle n'en manifestait aucun. Il comprenait le plaisir pervers d'empoisonner autrui — ce n'était pas cela non plus, apparemment. Elle semblait ne retirer de cette lutte ni amusement, ni profit. Pourquoi donc l'avait-elle entreprise? Elle pouvait n'être pas sincère. C'était, tout compte fait, l'hypothèse la plus probable. Son dessein avoué devait en cacher un autre. Quel autre? Philippe ne s'arrêta pas à le rechercher. L'hypocrisie devenait son explication courante pour tout ce qui n'était pas familier, qu'il s'agît d'un acte de bonté ou d'un haut idéal.

— Elle est bonne escrimeuse, dit-il à sa mère en rentrant.

— Sur quel sujet avez-vous croisé le fer? dit-elle suavement.

Philippe avait beau, maintenant, connaître la tactique de sa mère : elle refusait de l'admettre et feignait toujours devant lui. On eût cru, à l'en-

tendre, qu'elle ne voulait que l'enfant, n'avait
jamais rien voulu d'autre et tenait Miss Abbott
pour une alliée précieuse.

Lorsque, la semaine suivante, arriva la réponse
d'Italie, Mrs. Herriton ne tourna pas vers son fils
un visage triomphal.

— Lis ces lettres, dit-elle. Nous avons échoué.

Gino ayant écrit dans sa langue, les avoués
avaient transmis une traduction laborieuse, où
Pregiatissima Signora était devenu « Très louable
Madame », où chacun des compliments et superlatifs délicats — car les superlatifs sont délicats
en italien — eût, en anglais, assommé un bœuf.
Pour un instant, la forme fit oublier le fond à Philippe ; ce monument grotesque à la mémoire d'un
pays jadis aimé lui fit presque monter les larmes aux
yeux. Il connaissait les originaux de ces formules
pesantes ; lui aussi avait adressé de « sincères pré-
sages » et lui aussi avait écrit du Café Garibaldi —
qui donc écrit dans sa maison? « Je suis demeuré
plus stupide que je ne croyais, pensa-t-il. Comment
me laissé-je prendre encore à de simples ficelles de
style? Un m'as-tu vu est un m'as-tu vu, à Sawston
comme à Monteriano. »

— Décourageant ! dit sa mère.

Il lut alors que Gino ne pouvait accepter cette
offre généreuse. Son cœur paternel ne lui permettait pas d'abandonner le vivant symbole d'une
épouse si regrettée. Quant aux cartes postales

illustrées, il déplorait qu'elles eussent paru inconvenantes. Il n'en enverrait plus. Mrs. Herriton, d'une si notoire bonté, voudrait-elle prendre la peine d'expliquer ce silence à Irma, en remerciant celle-ci (la courtoise Demoiselle !) des cartes qu'elle avait adressées en retour?

— Le compte qu'il a fait nous est défavorable, dit Philippe. A moins qu'il ne monte ses prix.

— Non, affirma Mrs. Herriton. Il ne s'agit pas de cela. Pour je ne sais quel motif pervers, il veut garder l'enfant. Je vais sans retard en aviser cette pauvre Caroline. Elle sera aussi navrée que moi.

Elle revint de cette visite dans un état fort extraordinaire — rouge, suffocante et de grands cercles noirs autour des yeux.

— Ah ! quelle impudence ! cria-t-elle. Quelle satanée impudence ! Je blasphème, mais tant pis. Cette horrible fille... dire qu'elle ose se mêler... je vais, moi — Philippe, mon chéri, pardonne-moi. Tant pis. Il faut que tu y ailles.

— Où donc? Asseyez-vous. Qu'est-il arrivé?

Pareille explosion de violence chez une mère aussi aristocratique choqua Philippe douloureusement. Il ne la connaissait pas sous ce jour.

— Elle n'admet pas... elle n'admet pas que nous en restions à cette lettre. Tu dois aller à Monteriano !

— Ah, non ! cria-t-il en retour. J'y suis allé

déjà, j'ai échoué. Je n'y remettrai plus les pieds.
Je déteste l'Italie.

— Si tu n'y vas pas, elle ira.

— Abbott?

— Parfaitement. Toute seule, ce soir même. J'ai
proposé d'écrire : « Trop tard » ! a-t-elle dit. Trop
tard ! Et, s'il vous plaît, l'enfant — le frère d'Irma
— vivrait à son foyer, serait élevé par elle et son
père, à dix pas d'ici ; il irait à l'école, comme un
gentleman, et elle paierait tout. Oh ! toi, tu es un
homme. Peu t'importe. Tu peux rire. Mais je sais,
moi, ce que les gens racontent ; et cette fille part
ce soir pour l'Italie.

Il parut saisi d'une inspiration.

— Eh bien, qu'elle parte ! Qu'elle se dé-
brouille seule avec l'Italie. Il lui en cuira bien de
quelque manière. L'Italie est trop dangereuse,
trop...

— Assez. Philippe, tu déraisonnes. Je ne tolérerai pas qu'elle m'humilie. Il me faut cet enfant.
Paie-le, donne tout ce que nous possédons, il me
le faut.

— Mais non, laissez-la donc partir en Italie !
cria-t-il. Laissez-la s'y brûler les doigts par ignorance ! Tenez, cette lettre... L'homme qui l'a
écrite épousera Miss Abbott, ou l'assassinera, enfin
lui donnera ce qu'elle cherche ! Car c'est un m'as-tu
vu, mais pas un m'as-tu vu anglais ! Il est mystérieux et terrifiant. Il a derrière lui tout un pays qui

déroute les étrangers depuis le commencement du monde.

— Harriet ! s'écria Mrs. Herriton. Harriet doit être du voyage. Harriet, maintenant, devient inappréciable !

Et Philippe déraisonnait encore que déjà elle avait tout combiné pour eux et consultait l'indicateur.

CHAPITRE VI

L'Italie (avait toujours soutenu Philippe), ne devient véritablement elle-même qu'au plus fort de l'été, quand les touristes ont fui sa terre et quand son âme se réveille aux feux d'un soleil vertical. Le jeune homme avait, maintenant, l'occasion de la voir sous son plus beau jour, puisque la mi-août approchait lorsqu'il partit enfin rejoindre Harriet dans le Tyrol.

Il trouva sa sœur dans un brouillard épais, à 5 000 pieds au-dessus de la mer, glacée jusqu'aux os, gavée de nourriture, accablée d'ennui et nullement fâchée de se voir emmenée au loin.

— C'est un dérangement abominable, dit-elle en pressant ses éponges, mais tant pis : mon devoir est là.

— Est-ce que maman t'a expliqué l'histoire en détail? demanda Philippe.

— Bien sûr ! J'ai reçu d'elle une lettre splendide, où elle me raconte tout : peu à peu, elle en est venue à sentir qu'il fallait arracher l'enfant à son milieu abominable ; elle a essayé par lettre, vaine-

ment, n'ayant rien reçu en retour que phrases
hypocrites et faux compliments. Puis elle ajoute :
« L'influence personnelle est tout ; toi et Philippe
réussirez là où j'ai échoué. » Elle me dit encore que
Caroline Abbott s'est montrée merveilleuse.

Philippe approuva.

— Caroline est presque aussi touchée que nous
— sans doute parce qu'elle connaît l'homme.

— Oh ! il doit être ignoble ! Bonté du ciel ! J'ai
oublié de mettre l'ammoniaque dans ma valise !...
La leçon a dû être terrible pour Caroline ; ce sera,
j'imagine le point crucial de sa vie. Je ne puis m'empêcher de croire que de tout ce mal naîtra quelque
bien.

Philippe ne pressentait ni bien, ni beauté. Mais
l'expédition promettait d'être hautement comique.
Il n'y était plus opposé ; tout le laissait froid dans
l'histoire, sauf ses côtés humoristiques. Or la farce
serait inouïe. Harriet mue par sa mère ; Mrs. Herriton par Miss Abbott, Gino par un chèque — où
trouver spectacle plus divertissant? Rien, cette
fois, ne l'en distrairait ; sa sentimentalité était
morte et morte son angoisse pour l'honneur familial. Peut-être serait-il lui-même le pantin d'un
pantin, mais il connaissait très exactement le jeu
des ficelles.

Treize heures durant, leur train dévala : peu à
peu, les cours d'eau grandirent, les montagnes rape-
tissèrent, la végétation se modifia, cependant que

les hommes, de laids buveurs de bière, se transfor-
maient en beaux buveurs de vin. Le train, qui
avait cueilli nos deux voyageurs à l'aube dans un
désert de glaciers et d'hôtels, le soir, valsait autour de Vérone.

— On parle de chaleur, c'est idiot, dit Philippe,
dans la voiture qui les emportait de la gare. Si nous
étions venus ici pour notre agrément, imagine-
rions-nous séjour plus agréable?

— N'as-tu pas entendu, pourtant, qu'ils parlaient de fraîcheur? dit nerveusement Harriet. Je
ne trouve pas qu'il fasse particulièrement frais.

Le lendemain, la chaleur les frappa, comme une
main brusquement posée sur leur bouche, tandis
qu'ils cheminaient vers le tombeau de Juliette. Dès
lors, tout se gâta. Ils fuirent Vérone. Le carnet de
croquis d'Harriet fut volé ; le flacon d'ammoniaque ayant explosé dans sa malle au-dessus du
livre de prières, des taches pourpres apparurent
sur toutes les robes. Comme le train traversait
Mantoue, sur les quatre heures du matin, Philippe
fit pencher sa sœur à la fenêtre pour voir le lieu
où Virgile était né, et un fumeron lui entra dans
l'œil ; or Harriet avec un fumeron dans l'œil était
un être légendaire. A Bologne, ils voulurent prendre
vingt-quatre heures de repos. C'était « festa » et les
enfants faisaient retentir leurs sifflets à vessie nuit
et jour. « Quelle religion ! » dit Harriet. L'odeur de
l'hôtel l'écœura, deux chiots dormaient sur son lit

et la fenêtre de sa chambre donnait sur un campanile qui, toute la nuit et à chaque quart d'heure, salua ses formes ensommeillées. Philippe oublia à Bologne sa canne, des chaussettes et le Baedecker ; elle n'oublia que son sac à éponges. Le lendemain, ils traversaient les Apennins, en compagnie d'un enfant vomissant et d'une dame suffocante, qui déclara n'avoir jamais, jamais autant transpiré de sa vie.

— Les étrangers sont une race immonde, dit Harriet. Tant pis pour les tunnels ; baisse les glaces.

Il obéit et l'œil d'Harriet reçut un autre fumeron. Florence n'améliora rien. Repas, marche, mots croisés même — tout les plongeait dans un bain turc. Philippe, plus léger de corps et de conscience, souffrait moins. Mais Harriet voyait pour la première fois Florence et, tous les jours entre neuf et onze, elle rampait de rue en rue, comme un animal blessé, et s'évanouissait devant divers chefs-d'œuvre. Ce fut un couple de fort mauvaise humeur qui prit ses billets pour Monteriano.

— Aller simple ou aller-retour? dit Philippe.

— Aller simple pour moi, dit Harriet avec aigreur. Je ne retournerai pas vivante.

— Charmant ! dit son frère, perdant soudain toute patience. Ta douceur nous sera des plus précieuses quand nous aurons affaire à signor Carella !

— Supposes-tu, reprit Harriet, immobile dans le tourbillon des porteurs — supposes-tu que j'entre jamais dans la maison de cet homme?

— Alors pourquoi donc es-tu là? Pour servir d'ornement?

— Pour veiller à ce que tu fasses ton devoir.

— Merci bien.

— C'est ce que maman m'a dit. Et, de grâce, prends ces billets ! Voilà encore la dame suffocante ! Elle a le toupet de nous saluer.

— Ah ! c'est ce que maman t'a dit? poursuivit Philippe sur un ton rageur, en essayant d'arracher ses billets à un guichet si peu ouvert qu'on les lui passa par la tranche. Cette Italie était infecte, et le centre de l'Italie infecte se trouve à la gare de Florence. Mais Philippe n'en avait pas moins le sentiment que c'était sa faute et qu'avec un peu de ressort moral, il eût trouvé tout le pays non pas abject, mais amusant. Car un charme était là, il le savait, un charme tangible, derrière les porteurs, les hurlements et la poussière. Philippe le percevait dans le ciel, bleu à faire peur, sous le dôme duquel ils voyageaient ; dans la plaine blanchie, étreignant toute vie plus durement que n'eût fait le gel ; dans les berges surélevées de l'Arno ; et dans les ruines de tours brunes, tremblant dans la lumière au sommet des collines. Philippe le percevait, malgré son mal de tête, les tiraillements de sa peau, sa conscience d'être un pantin et l'humiliation qu'Harriet le sût. Ce voyage, jusqu'à la gare de Monteriano, n'offrit rien d'agréable. Mais rien n'y fut banal non plus — même pas les désagréments.

— Mais où vivent les gens — à l'intérieur? demanda Harriet.

Ils étaient passés du wagon au legno et, grâce au legno, découvraient le but.

Philippe, pour la piquer, répondit :

— Non.

— Mais que font-ils? poursuivit Harriet, le sourcil froncé.

— Il y a un café. Une prison. Un théâtre. Une église. Des remparts. Un panorama.

— Très peu pour moi, merci, dit Harriet après un lourd silence.

— Personne ne t'a priée d'y rester, Miss, comprends-tu? Quelqu'un en a prié Lilia, au contraire — un beau jeune homme, avec un front couronné de boucles et des dents aussi blanches que l'art de son papa le permettait. (Soudain, il changea de manières.) Mais enfin, Harriet, ne vois-tu rien de merveilleux ou d'attirant dans ce pays, ne vois-tu rien du tout?

— Rien du tout. Il est affreux.

— Je sais. Mais il est vieux, terriblement vieux.

— La beauté compte seule, dit Harriet. Tu me l'as dit, du moins, lorsque je dessinais de vieilles maisons. Tu voulais, je suppose, m'être désagréable.

— Non, j'avais bien raison. Et pourtant… je ne sais… il est arrivé ici tant de choses. Les hommes ont mené ici une vie si dure et si magnifique ; je ne puis expliquer.

— Le contraire m'étonnerait. Le moment semble mal choisi pour te livrer à ta manie italienne. Je t'en croyais guéri. Dis-moi plutôt, je te prie, ce que tu comptes faire en arrivant. Je t'en supplie, tâche, cette fois, de ne pas te laisser surprendre.

— En tout premier lieu, Harriet, je t'installerai à l'hôtel Stella aussi moelleusement que l'exigent ton sexe et ton humeur. En second lieu, je me ferai du thé. Après le thé, je sortirai avec un livre que j'irai lire dans Santa Deodata : il règne là une fraîcheur délicieuse.

— Philippe ! Tu le sais, dit Harriet sur le gril. Je ne suis pas spirituelle. Je n'en ai pas la prétention. Mais je reconnais la grossièreté et le mal.

— Ce qui signifie?

— Toi ! cria-t-elle avec un bond sur le coussin du legno, qui en fit sursauter les puces. A quoi bon faire de l'esprit devant l'assassin d'une femme?

— Harriet, j'ai très chaud. A qui fais-tu allusion?

— A lui. A elle. Si tu n'es pas sur tes gardes, il t'assassinera. Je le souhaite d'ailleurs.

— Turlututu ! Tu serais diablement embarrassée de mon cadavre. (Il essaya d'être moins méchant.) Je déteste cordialement cet individu, mais nous

savons qu'il n'a pas assassiné Lilia. Elle a dit
beaucoup, dans sa lettre, mais elle n'a pas dit qu'il
fût physiquement cruel.

— Il l'a assassinée. Il a commis des actes... des
actes dont on n'ose même pas parler...

— Des actes dont il faut parler si nous voulons
avoir une conversation quelconque. Des actes qu'il
faut voir aussi dans leurs justes proportions. Parce
que cet homme a trompé sa femme, il ne s'ensuit
pas qu'il soit le dernier des criminels.

Philippe contempla la cité. Elle parut approuver
sa remarque.

— C'est le point crucial. Un homme qui n'est
pas chevaleresque...

— Oh ! la barbe ! Tu diras ça dans ton « arrière-
boutique ». Ce point n'est pas plus crucial qu'un
autre. Depuis que les Italiens sont au monde, ils
n'ont jamais été chevaleresques. Si tu en con-
damnes un pour ce crime, tu les condamneras tous
en bloc.

— Je les condamne tous en bloc.

— Les Français aussi?

— Les Français aussi.

— Ce serait drôlement facile, dit Philippe, plus
pour lui-même que pour sa sœur.

Mais elle trouvait les choses faciles, sinon drôles
et revint à la charge.

— Et l'enfant? Tu m'as fait de très beaux discours, tu as mis en pièces morale, religion, je ne

sais quoi encore ; mais l'enfant? Si stupide que tu
me croies, je t'ai observé tout le jour : pas une fois
tu n'as parlé de l'enfant. Tu n'y as même pas pensé.
Tu t'en moques. Philippe ! Je ne t'adresserai plus
la parole. Tu es intolérable.

Elle tint promesse et ne dit plus un mot jusqu'à leur arrivée. Mais son regard brillait de colère
et de résolution. Car elle était courageuse et droite
autant que maussade.

Cependant Philippe s'avouait la vérité du re-
proche. Il se moquait éperdument du bébé. Dé-
sireux, néanmoins, de faire son devoir, il espérait
fermement réussir. Gino, pour mille lires aurait
vendu sa femme : il vendrait son fils pour bien
moins. A cette simple transaction commerciale,
pourquoi mêler tant d'autres choses? Philippe gardait les yeux fixés sur les tours sans plus pouvoir
les en détacher que le jour où Miss Abbott se tenait
près de lui. Mais ses pensées étaient plus agréables,
cette fois ; le souci d'une affaire grave ne pesait
plus sur lui. Ce fut avec l'humeur d'un touriste
cultivé qu'il entra dans Monteriano.

L'une des tours, aussi rude que ses compagnes,
portait une croix au sommet. C'était celle de
l'église collégiale Santa Deodata. Cette patronne
de la cité était une sainte fille du moyen âge. Sa
vie mêle les traits barbares et suaves. Sa sainteté
fut telle qu'elle passa son existence entière couchée
sur le dos, dans la maison maternelle, refusant

toute nourriture, tout jeu et tout travail. Jaloux
de cette perfection pieuse, le démon la tenta de
diverses manières. Il laissa pendre des raisins vers
elle, fit miroiter des jouets fascinants et, sous sa
tête endolorie, glissa des coussins moelleux. Ses
tentatives étant demeurées vaines, il fit, par un
sournois croc-en-jambe, dégringoler la mère au bas
de l'escalier, sous les yeux mêmes de la fille. Mais
telle était la sainteté de cette vierge qu'elle n'alla
point ramasser sa mère et demeura couchée sur le
dos, en dépit de tout, ce qui lui assura un trône au
Paradis. Elle mourut âgée de quinze ans à peine,
montrant ainsi à quoi peut atteindre n'importe
quelle enfant d'âge scolaire. D'aucuns trouveront
cette vie trop peu efficace — qu'ils considèrent
donc, outre la suite de victoires sur Poggibonsi,
San Gemigniano, Volterra, et Sienne même —
remportées en invoquant tout simplement le nom
de la sainte — l'église qui s'est élevée sur sa tombe.
Les projets grandioses de façade en marbre ne
furent pas réalisés et c'est encore la pierre brune
et brute que l'on voit aujourd'hui. Mais à l'intérieur, pour décorer la nef, on fit appel à Giotto.
Giotto vint — ou plutôt il ne vint pas, comme les
recherches allemandes l'ont prouvé. Des fresques,
en tout cas, couvrent la nef, ainsi que deux cha-
pelles dans le transept à gauche, l'arc du chœur,
le chœur lui-même n'en montrant que des bribes.
Et la décoration en resta là jusqu'au jour où cer-

tain grand peintre, au printemps même de la Renaissance, vint faire, à son ami, le seigneur de Monteriano, une visite de quelques semaines. Dans les loisirs que lui laissaient banquets, bals et disputes sur des étymologies latines, il venait rêver dans l'église où il peignit, dans la cinquième chapelle à droite, deux fresques sur la mort et la mise au tombeau de Santa Deodata. De là vient l'astérisque du Baedecker.

De meilleure compagnie qu'Harriet, Santa Deodata entretint Philippe dans une songerie plaisante jusqu'au moment où le legno s'arrêta devant l'hôtel. Tout le monde y dormait, car c'était encore l'heure où seuls les idiots remuent. La rue n'offrait même pas un mendiant. Le cocher déposa les sacs dans le couloir (car ils avaient laissé les malles à la gare), erra vaguement dans l'immeuble et, tombant enfin sur la chambre où dormait la propriétaire, éveilla celle-ci pour l'amener à ses clients.

Harriet, alors, prononça un monosyllabe :

— Va !

— Et où donc? demanda Philippe, en saluant la propriétaire, qui descendait l'escalier à la nage.

— Chez l'Italien. Va !

— *Buona sera, Signora padrona. Si ritorna volontieri a Monteriano!* (Ne sois pas si cruche. Je ne vais pas partir tout de suite. Et ne me barre pas le passage.) *Vorrei due camere...*

— Va. Maintenant. Immédiatement. Je n'attendrai pas une minute. Va.

— Diable non. Il me faut mon thé.

— Jure si tu veux ! cria-t-elle. Blasphème ! Insulte-moi ! Mais comprends bien que je suis sérieuse.

— Harriet, agis moins vite et agis mieux.

— Nous ne sommes ici que pour prendre l'enfant et l'emmener. Je ne tolérerai pas cette légèreté, cette mollesse, ces bavardages à propos de tableaux et d'églises. Pense à maman ; t'a-t-elle envoyé ici pour cela?

— Pense à maman et ne barre pas l'escalier. Laisse descendre le cocher et la propriétaire et laisse-moi monter pour choisir deux chambres.

— Non.

— Harriet, es-tu folle?

— Si tu veux. Mais tu ne monteras qu'après avoir vu l'Italien.

— *La signorina si sente male*, dit Philippe. *E il sole.*

— *Poveretta!* crièrent le cocher et la propriétaire.

— Laissez-moi tranquille ! gronda Harriet, en tournant sa hargne contre eux. Je n'ai rien à faire avec votre bande. Je suis Anglaise ; ni vous, ni lui ne passerez tant qu'il n'est pas allé chercher l'enfant.

— *La prego — piano... piano... è un'altra signora che dorme...*

— Nous allons probablement être arrêtés pour

tapage, Harriet. As-tu le moindre sens du grotesque?

Harriet n'avait rien de tel. De là venait sa puis-
sance. Elle avait mijoté cette petite scène dans la
voiture et rien ne pouvait l'en frustrer. Insultes de
front et cajoleries de dos la laissaient également
indifférente. Combien de temps eût-elle ainsi —
comme certain Horatius — glorieusement interdit
les deux bouts de l'escalier? Nul ne le sait, car la
jeune dame dont ils troublaient le sommeil s'éveilla,
ouvrit la porte de sa chambre et apparut sur le
palier. C'était Miss Abbott.

Le premier sentiment cohérent de Philippe fut
l'indignation. C'était assez pour lui que les rênes
d'une mère et la cravache d'une sœur. L'entrée en
jeu d'une tierce femme fit bondir soudain son
humeur au-delà des limites de la politesse. Il fut
sur le point de crier ce qu'il pensait de cette histoire du commencement à la fin. Mais déjà Harriet
avait vu Miss Abbott et poussé un cri aigu de
triomphe.

— Vous, Caroline ! ici, quelle rencontre !

Elle vola, oubliant la chaleur, et embrassa vigou-
reusement son amie. Philippe eut une inspiration :

— Tu as beaucoup à dire à Miss Abbott, Harriet, et elle aussi peut vouloir te parler longuement.
Je vais donc, comme tu le suggérais, rendre visite
à signor Carella et voir comment la situation se
présente.

Miss Abbott émit un son vague : salut amical ou cri d'inquiétude. Philippe, sans y répondre ni se rapprocher de la jeune fille, fila vers la sortie, négligeant même de payer le cocher.

— Arrachez-vous les yeux, mesdames ! cria-t-il dans la rue avec de grands gestes vers la façade de l'hôtel. Vas-y, Harriet ! Apprends-lui donc à nous ficher la paix ! Vas-y, Caroline ! Apprends-lui ce qu'elle te doit ! Tapez, mesdames, tapez dur !

Les passants, fort intéressés, n'en conclurent pas pour cela que Philippe était fou. Ce genre de regain, après une conversation, n'est pas très rare en Italie.

Philippe tenta de voir le côté drôle de l'histoire ; il échoua. La présence de Miss Abbott le touchait trop personnellement, car il fallait qu'elle le soupçonnât de malhonnêteté, ou qu'elle fût malhonnête elle-même. Il préféra la seconde hypothèse. N'avait-elle pas déjà vu Gino, combiné avec lui quelque humiliation raffinée pour les Herriton ? Qui sait si Gino ne lui avait pas vendu l'enfant au rabais, en guise de blague, juste le genre de blague, d'ailleurs, qui pouvait séduire l'Italien ? Philippe se souvenait encore du fou rire qui avait salué son voyage inutile, de la bourrade qui l'avait fait basculer sur le lit. Quel qu'en fût le sens, d'ailleurs, la présence de Miss Abbott gâchait toute la comédie : elle ne ferait jamais rien de drôle.

Pendant cette brève méditation, Philippe avait traversé la cité et se retrouvait aux remparts.

— Où habite le signor Carella? demanda-t-il à la douane.

Une petite fille jaillit du sol, comme font les enfants en Italie.

— Je vais vous montrer! cria-t-elle.

— Elle va vous montrer, ajoutèrent les douaniers, avec un signe de tête rassurant. Suivez-la toujours, toujours et vous arriverez sans mal. On peut se fier à elle. C'est ma fille... C'est ma cousine.. C'est ma sœur.

Philippe connaissait ces liens familiaux : leur réseau couvre, s'il le faut, la péninsule entière.

— Sais-tu, par hasard, si le signor Carella est chez lui? demanda-t-il à la petite fille.

Elle venait juste de le voir entrer. Philippe hocha la tête. Cet entretien l'intéressait maintenant : ce serait un duel d'intelligence avec un homme pas très intelligent. Quels étaient les desseins de Miss Abbott? Voilà ce qu'il allait apprendre, entre autres choses. Pendant qu'elle s'en expliquait avec Harriet, lui s'en expliquerait avec Gino. Il suivit donc la jeune parente de la douane, avec des pas silencieux de diplomate.

Il ne la suivit pas longtemps, car la porte était celle de Volterra et la maison se trouvait juste en face. En une demi-minute, ils eurent dégringolé le sentier de mule et atteint la seule entrée prati-

cable. A la pensée que Lilia avait vécu dans cette
bâtisse, à la pensée aussi de sa propre victoire,
Philippe rit. Cependant, la jeune parente de la
douane élevait la voix et poussait un cri.

Un temps impressionnant passa : point de réponse. Puis une silhouette de femme apparut là-
haut, dans la loggia.

— C'est Perfetta, dit la fillette.

— Je voudrais voir signor Carella, cria Philippe.

— Sorti !

— Sorti, répéta gentiment la fillette.

— Pourquoi diable m'as-tu dit qu'il était rentré?

Philippe l'eût volontiers étranglée. Il s'était
senti juste à point pour cet entretien. Son état
combinait de façon parfaite l'indignation et l'acuité
mentale : tête froide et sang chaud. Mais rien
n'allait de façon parfaite à Monteriano. Il ques-
tionna Perfetta :

— Quand reviendra-t-il? (Vraiment, c'était la
guigne.)

Perfetta ne savait rien. Il était parti pour affaire. Il reviendrait peut-être ce soir, peut-être
non. Il était allé à Poggibonsi.

A ce mot, la petite fille fit un grand pied de nez
à la plaine, en chantant, comme ses aïeules l'avaient
fait sept siècles auparavant :

> *Poggibonizzi, fatti in là,*
> *Che Monteriano si fa città!*

Ensuite, elle demanda un sou à Philippe. Une dame allemande, amie du temps passé, lui en avait donné un, ce printemps même.

— Je dois laisser un message, cria Philippe.

— Perfetta est allée chercher son panier, expliqua la petite fille. Quand elle reviendra, elle le fera descendre — comme ça. Alors vous mettrez votre carte dedans. Alors elle le remontera — comme ça. Et de cette façon...

Quand Perfetta revint, Philippe eut une idée : il demanda à voir l'enfant. Celui-ci fut plus long à découvrir que le panier et Philippe, debout, transpirant, dans la chaleur du soleil bas, attendit en essayant de se soustraire à la puanteur des rigoles et aux chants de guerre contre Poggibonsi. La lessive de la semaine — ou plus probablement du mois — drapait les oliviers, derrière lui. L'horrible blouse à pois ! Où donc l'avait-il vue? Soudain, il se souvint que c'était la blouse de Lilia. Elle l'avait introduite à Sawston pour le « tout-aller du ménage », puis emportée en Italie parce qu' « en Italie, tout passe ». Il l'avait rabrouée pour ce mépris.

— Beau comme un ange ! beugla Perfetta, en présentant ce qui devait être l'enfant de Lilia. Mais à qui ai-je l'honneur?

— Merci, voici ma carte.

Il y avait écrit, pour Gino, une demande polie de rendez-vous pour le lendemain matin. Mais

avant de déposer la carte dans le panier et révéler
son identité, il voulut découvrir encore quelque
chose.

— Est-ce qu'une jeune dame est venue récemment? Une jeune dame anglaise?

Perfetta s'excusa : elle était un peu sourde.

— Une jeune dame, pâle, grande, forte.

Elle ne saisissait pas bien.

— *Une jeune dame!*

— Perfetta est sourde quand elle le veut, dit la
jeune parente de la douane.

Philippe admit enfin l'infirmité et s'éloigna. A
la porte de Volterra, il paya et congédia la détestable petite fille. Mais les deux pièces de nickel
la laissèrent insatisfaite ; en partie parce que
c'était trop, en partie parce qu'il n'était pas satisfait lui-même, semblait-il, en les lui donnant.
Quand il franchit la douane, il vit les pères et les
cousins échanger des clignements d'yeux complices.
Tout Monteriano conspirait, apparemment, pour
le tourner en ridicule. Il se sentit las, anxieux,
perdu, doutant de tout, hormis de sa mauvaise
humeur. C'est dans un tel état d'esprit qu'il re-
gagna la Stella d'Italia. Mais là, comme il gravis-
sait l'escalier, une porte s'ouvrit au premier étage
et Miss Abbott, surgie de la salle à manger, lui fit
un signe mystérieux.

— J'allais me faire un peu de thé, dit-il sans
lâcher la rampe.

— Je vous serais très obligée...

Il la suivit donc dans la salle à manger et referma la porte.

— Voyez-vous, dit-elle, Harriet ne sait rien.

— Moi non plus. Il était sorti.

— Mais quel rapport?...

Il tourna vers elle un sourire peu aimable. Elle était bonne escrimeuse, certes, il l'avait déjà remarqué.

— Il était sorti. Vous me voyez donc aussi ignorant qu'Harriet.

— Que voulez-vous dire? Je vous en supplie, Mr. Herriton, pas de mystère : le temps presse. Harriet peut descendre d'une minute à l'autre et nous n'aurons pas arrêté notre attitude commune envers elle. A Sawston, c'était différent : les apparences devaient être gardées. Mais ici, il faut parler franc et j'espère que je peux compter sur vous. Sans cela, nous n'éviterons pas les malentendus au départ.

— Eh bien ! évitons les malentendus, dit Philippe, en arpentant la pièce. Permettez-moi d'abord de vous poser une question. En quelle qualité êtes-vous à Monteriano — comme espionne ou comme traître?

— Comme espionne ! dit-elle sans la moindre hésitation.

Debout devant la petite fenêtre gothique — car l'hôtel était un ancien palais — elle suivait du bout des doigts la courbe des moulures, comme s'il avait été possible de leur découvrir une beauté étrange.

— Comme espionne ! répéta-t-elle, car Philippe gardait le silence, surpris par la rapidité d'un tel aveu. Votre mère s'est mal conduite d'un bout à l'autre de cette histoire. Elle n'a jamais voulu l'enfant : aucun mal à cela ; mais son orgueil lui interdit de me le laisser. Elle a tout fait pour ruiner nos efforts ; elle ne vous a pas tout dit et elle n'a rien dit à Harriet ; elle n'a pas cessé de mentir ou d'agir mensongèrement. Je n'ai aucune confiance en elle. J'ai donc traversé l'Europe, seule ; à l'insu de tous — mon père me croit en Normandie — pour venir ici espionner Mrs. Herriton. Non, ne discutons pas ! (Car, de façon presque automatique, il avait commencé à lui reprocher aigrement son impertinence.) Si vous êtes ici pour prendre l'enfant, je vous aiderai ; si vous êtes ici pour échouer, je le prendrai à votre place.

— Je n'attends pas de vous que vous me croyiez, dit-il d'une voix saccadée. Mais je puis affirmer que nous sommes ici pour prendre l'enfant, dût-il être payé de tout ce que nous possédons. Ma mère n'a fixé aucune limite à la dépense. Je suis ici pour suivre ses instructions. Vous les approuverez, je pense, puisqu'en pratique c'est vous qui les avez dictées. Je ne les approuve pas, pour ma part. Elles sont absurdes.

Elle inclina la tête avec indifférence. Ce qu'il
pouvait dire lui importait peu. Elle ne voulait
qu'une chose : arracher l'enfant de Monteriano.

— Harriet aussi suit vos instructions, continua-
t-il. Elle, cependant, les approuve et ne sait pas
que vous en êtes l'origine. Je pense, Miss Abbott,
que vous devriez prendre toute la responsabilité
de notre équipe de sauvetage. J'ai demandé un
rendez-vous à signor Carella pour demain matin.
Êtes-vous d'accord?

Elle inclina de nouveau la tête.

— Puis-je vous demander des détails de votre
propre entretien avec lui? Ils pourraient m'être
utiles.

Il avait posé sa question à tout hasard et vit,
pour sa plus grande joie, la jeune fille s'effondrer.
Sa main abandonna la fenêtre ; une rougeur,
qui n'était pas celle du couchant, envahit son
visage.

— Mon entretien... comment l'avez-vous appris?

— De Perfetta, si cela vous intéresse.

— Qui donc est Perfetta?

— La femme qui vous a certainement fait entrer.

— Entrer où?

— Dans la maison de signor Carella.

Elle s'exclama :

— Mr. Herriton ! Comment avez-vous pu la
croire? Imaginez-vous que je sois entrée dans la

maison de cet homme, en sachant de lui tout ce
que je sais? Vous avez d'étranges idées sur ce
qu'une dame peut se permettre. Vous avez demandé à Harriet de vous accompagner chez lui,
m'a-t-elle dit. Elle a naturellement refusé. Il y a
dix-huit mois, j'aurais peut-être commis cette
erreur. Mais je crois, maintenant, avoir appris à
me conduire.

L'idée vint enfin à Philippe qu'il y avait deux
Miss Abbott : celle qui pouvait faire seule le voyage
de Monteriano, et celle qui, arrivée là, ne pouvait pas
entrer dans la maison de Gino. La découverte était
amusante. Laquelle des deux Miss Abbott allait,
dans leur partie, jouer le coup suivant?

— J'ai dû mal comprendre Perfetta. Où donc
votre entretien a-t-il eu lieu?

— Ce ne fut pas un entretien... mais un accident... je regrette... mon intention était de vous
laisser faire le premier pas. Mais c'est votre faute.
Vous êtes en retard d'un jour. Vous auriez dû être
ici hier. Je suis donc arrivée hier moi-même et, ne
vous trouvant pas, je suis montée à la Rocca —
vous connaissez, n'est-ce pas? D'un jardin potager
que l'on vous ouvre, on peut grimper, par une
échelle, jusque sur une tour brisée, d'où l'on do-
mine les autres tours, la plaine et les collines en-
vironnantes.

— Oui, oui. Je connais la Rocca ; c'est moi qui
vous en ai parlé.

— Donc je suis montée là pour voir le coucher du soleil : je n'avais rien à faire. « Il » se trouvait dans le jardin, dont le propriétaire est un de ses amis.

— Et vous avez parlé.

— Oh ! ce fut très bizarre. J'ai dû parler : il m'y contraignait, semblait-il. Il a cru que je venais là en touriste, il le croit encore. Comme il voulait être poli, j'ai jugé plus habile de l'être aussi.

— Et quel fut le sujet de la conversation?

— Le temps — il pleuvra demain soir, paraît-il — les autres villes, l'Angleterre, moi-même, vous — un peu, et il a effectivement prononcé le nom de Lilia. Quel dégoût ! Il a prétendu l'aimer et m'a offert de voir sa tombe — la tombe de la femme qu'il a assassinée !

— Ma chère Miss Abbott, il n'est nullement un assassin. C'est ce que j'ai tenté précisément de faire entrer dans la tête d'Harriet. Quand vous connaîtrez les Italiens aussi bien que moi, vous comprendrez qu'en vous parlant ainsi, il était absolument sincère. Les Italiens ont le sens du drame : ils considèrent l'amour et la mort comme des spectacles. Celui-ci, je n'en doute pas, a réussi à se persuader (pour l'instant du moins) qu'il s'était admirablement conduit, comme époux d'abord, comme veuf ensuite.

— Vous avez peut-être raison, dit Miss Abbott, touchée pour la première fois. Lorsque, pour nous frayer la voie, si je puis dire, j'ai insinué qu'il aurait dû agir autrement, oh! j'ai tout à fait échoué. Il n'a pas pu, pas voulu comprendre.

L'idée de Miss Abbott approchant Gino, sur la Rocca, dans l'esprit d'une visiteuse évangéliste, ne manquait certes pas de drôlerie. Philippe, qui retrouvait sa belle humeur, se mit à rire.

— Harriet dirait qu'il n'a pas le sens du péché.

— Elle aurait raison, je le crains.

— Alors, peut-on dire qu'il pèche?

Mais une Miss Abbott n'encourage pas la légèreté.

— Je sais ce qu'il a fait, dit-elle. Ce qu'il pense ou dit n'importe guère.

Cette fruste naïveté fit sourire Philippe.

— J'aimerais pourtant savoir ce qu'il a dit de moi. Me prépare-t-il une réception chaleureuse?

— Oh! vous n'y êtes pas du tout! Je n'ai pas annoncé votre venue et celle d'Harriet. Vous pouviez vouloir le surprendre. Il a seulement demandé de vos nouvelles en regrettant d'avoir manqué de politesse à votre égard, il y a dix-huit mois.

— Quelle mémoire des détails a ce garçon!

En prononçant ces mots, Philippe se détourna. Il désirait cacher à Miss Abbott son visage que le plaisir venait d'empourprer. Car ces excuses, qui, dix-huit mois auparavant, eussent été intolérables, étaient aujourd'hui pleines d'agrément et de charme.

Mais Miss Abbott releva l'expression.

— Des détails? Vous en jugiez bien autrement, alors : vous m'avez parlé d'agression.

— J'étais hors de moi, dit légèrement Philippe. Sa vanité avait reçu satisfaction et il le savait. Une menue politesse venait de changer son état d'esprit. A-t-il vraiment... qu'a-t-il dit au juste?

— Il a exprimé son regret, agréablement, comme les Italiens savent le faire. Mais il n'a pas dit un mot du bébé.

Et qu'importe un bébé quand l'univers retrouve son aplomb? Philippe sourit, fut choqué de sourire, et sourit de nouveau. L'Italie retrouvait sa poésie ; elle n'avait pas de goujats ; elle redevenait, comme jadis, belle, courtoise, digne d'amour. Et Miss Abbott? Elle aussi était belle, à sa façon, malgré sa gaucherie et sa morale conventionnelle. Elle avait, pour la vie, un amour vrai et s'efforçait de bien vivre. Et Harriet? Même Harriet faisait de son mieux.

Le revirement était admirable ; son origine, en Philippe, l'était moins, et les cyniques le railleront sans doute. Mais les anges et autres personnes pratiques l'accueilleront avec respect et l'inscriront du côté de l'actif.

— « Vue de la Rocca (petit pourboire) belle surtout au coucher du soleil » murmura-t-il plus pour lui-même que pour Miss Abbott.

— Il n'a pas dit un seul mot du bébé, répéta cette dernière.

Mais elle était revenue à la fenêtre : son doigt en poursuivait encore les courbes délicates. Philippe, plus attiré par elle qu'il ne l'avait jamais été, la considéra en silence : décidément, elle était un mélange des plus bizarres.

— Et la vue de la Rocca... était belle, n'est-ce pas?

— Qu'est-ce qui n'est pas beau ici? dit-elle avec douceur.

Puis elle ajouta :

— Je voudrais être Harriet! en donnant à ces mots une extraordinaire valeur.

— Parce qu'Harriet?...

Elle refusa d'en dire plus long, mais il crut comprendre qu'elle avait rendu hommage à la complexité de la vie. Pour elle, en tout cas, cette expédition n'était ni facile, ni drôle. Un nœud complexe s'était formé, mal, beauté, charme, vulgarité, et elle en reconnaissait l'existence, en dépit d'elle-même. Sa voix fit tressaillir Philippe, lorsque, rompant tout à coup le silence, elle dit :

— Mr. Herriton, venez voir!

Elle écarta de l'embrasure une pile d'assiettes et tous deux se penchèrent à la fenêtre.

Juste en face, coincée entre de mesquines maisons, se dresse une des grandes tours, la vôtre. Que vous traciez, entre elle et l'hôtel, une simple bar-

ricade et le passage est coupé à l'instant. En
amont, au point où la rue débouche au flanc de
l'église, vos parents, les Merli et les Capocchi, font
de même. Ils commandent la Piazza comme vous
la Porte de Sienne. Nul ne pourra franchir ces
espaces sans être immédiatement abattu, à l'arc,
à l'arbalète ou par le feu grégeois. Prenez garde,
pourtant, aux fenêtres des chambres de derrière.
La tour des Aldobrandeschi les menace et plus
d'une flèche, déjà, s'est fichée, tremblante, juste
au-dessus du lavabo. Gardez bien ces fenêtres si
vous ne voulez voir se répéter ce février 1338, où
l'hôtel, ayant été surpris par derrière, votre plus
cher ami (à peine eûtes-vous le temps de le reconnaître) fut précipité sur vous du haut des escaliers.

— Elle touche au ciel par un bout, dit Philippe,
et par l'autre, au reste...

Le sommet de la tour étincelait au soleil, tandis
que sa base, dans l'ombre, était placardée de réclames.

— Faut-il voir là un symbole de la ville?

Rien ne manifesta si la jeune fille avait compris.
Mais tous deux demeurèrent à la fenêtre, parce
que l'air y était plus frais, la vue charmante. Philippe, en sa voisine, découvrait une grâce et une
légèreté qu'il n'avait jamais remarquées en Angleterre. Elle avait, certes, l'esprit terriblement
étroit, mais sa conscience de réalités plus vastes

donnait à cette étroitesse même un certain charme pathétique. Philippe ne soupçonna pas qu'il avait, lui aussi, acquis plus de grâce. Car notre vanité est telle que nous tenons pour immuable notre propre personnage et que nous sommes lents à en reconnaître les variations, même favorables.

Les citoyens de Monteriano sortaient faire un tour avant le dîner. Quelques-uns, immobiles, lisaient les réclames au bas de la tour.

— Mais voyons, n'est-ce pas une affiche d'opéra? dit Miss Abbott.

Philippe mit son lorgnon. « *Lucia di Lammermoor*. Par le Maître Donizetti. Représentation unique. Ce soir. »

— Quoi? Il existe un Opéra, perché ici?

— Mais oui. Ces gens savent vivre. Ils aiment mieux le mauvais que rien. Voilà pourquoi ils ont tant de bon. Si médiocre que soit la représentation de ce soir, elle sera vivante. Les Italiens n'adorent pas la musique en silence comme ces stupides Allemands. Le public y joue sa partie, et quelquefois bien davantage.

— Si nous y allions?

Il la rabroua, sans méchanceté :

— Mais nous sommes ici pour sauver un enfant ! Et aussitôt il maudit sa remarque car, du visage de la jeune fille, toute lumière et toute joie avaient disparu soudain et elle était redevenue la Miss Abbott de Sawston — bonne, ah ! oui, bonne indu-

bitablement, mais abominablement terne. Terne
à la fois et rongée de remords : combinaison des
plus fatales. Philippe, en vain, lutta contre elle
jusqu'à l'instant où, interrompant ce combat, la
porte de la salle à manger s'ouvrit.

Ils sursautèrent comme des amoureux surpris.
Leur entretien avait pris un cours fort inattendu,
en effet. Irritation, cynisme et dureté morale, tout
s'était résolu en bonne volonté réciproque et en
sympathie pour la cité dont ils étaient les hôtes.
Et voici qu'Harriet apparaissait, massive, acerbe,
indissoluble ; telle en Angleterre, telle en Italie,
bien résolue à ne changer de caractère en aucun
cas et d'atmosphère qu'à son corps défendant.

Harriet elle-même était pourtant humaine : une
tasse de thé l'adoucissait. Elle ne reprocha pas à
Philippe le fait que Gino fût sorti, comme elle
aurait pu raisonnablement le faire. Elle prodigua
les politesses à Miss Abbott : ce voyage de Caroline, s'écriait-elle sans arrêt, était la plus heureuse des coïncidences. Caroline ne la contredit
pas.

— Tu le vois donc demain à dix heures, Philippe. Bon, n'oublie pas le chèque en blanc. Mettons
une heure pour conclure l'affaire. Non, les Italiens
sont si lents : mettons deux heures. Midi. Déjeuner... Inutile de partir avant le train du soir.
Je puis me charger du bébé jusqu'à Florence...

— Ma chère sœur, un peu moins de hâte ! On

n'achète pas des gants en deux heures, encore
moins un bébé.

— Eh bien, mettons-en trois ou quatre ; sinon,
enseigne-lui les manières anglaises. A Florence,
nous prenons une nourrice...

— Mais, Harriet, dit Miss Abbott, s'il refusait
d'abord?

— Le mot n'a pas de sens pour moi, dit caté-
goriquement Harriet. J'ai averti la propriétaire
que nous ne garderions nos chambres qu'une nuit.
Philippe et moi. Nous nous en tiendrons là.

— Je ne doute pas de la réussite. Pourtant, je
vous l'ai dit, l'homme que j'ai rencontré sur la
Rocca me paraît difficile, étrange.

— Nous connaissons son insolence avec les
dames. Mais on peut faire confiance à mon frère
pour le ramener à la raison. Philippe, cette femme
que tu as vue nous apportera l'enfant à l'hôtel. Il
faudra, naturellement, lui donner un pourboire.
Et tâche d'obtenir, si tu le peux, les bracelets d'argent de cette pauvre Lilia. Ils étaient très jolis et
Irma pourra les porter. Il y a aussi un coffret
marqueté que j'avais prêté à Lilia — non pas
donné, prêté — pour y serrer ses mouchoirs. Il n'a
pas de valeur réelle, mais l'occasion ne se présen-
tera plus pour nous. Ne le réclame pas, mais si tu
le vois traîner quelque part, dis simplement...

— Non, Harriet. J'essaierai d'obtenir l'enfant,
rien de plus. Je te promets de le faire demain et de

le faire selon tes désirs. Mais ce soir, nous sommes tous trois fatigués et il nous faut un changement. Il nous faut une détente. Bref, il nous faut aller au théâtre.

— Au théâtre ici? Et en un pareil moment?

— Nous risquons de ne pas nous amuser beaucoup, dans l'imminence du grand jour, dit Miss Abbott, en jetant vers Philippe un regard angoissé.

Il ne la trahit pas, mais dit :

— Cela ne vaut-il pas mieux que de passer ici toute la soirée, à nous rendre nerveux?

Harriet secoua la tête.

— Maman n'aimerait pas ça. Ce serait inconvenant, presque sacrilège. D'ailleurs, la réputation des théâtres étrangers... Tu te souviens, n'est-ce pas? des lettres publiées dans le Bulletin paroissial des familles?

— Mais je parle d'un opéra : *Lucia di Lammermoor*, sir Walter Scott, du classique, comprends-tu?

La résignation envahit le visage d'Harriet.

— Évidemment, on a si rarement l'occasion d'entendre de la musique. Oh! ce sera sûrement détestable, mais peut-être cela vaut-il mieux, en effet, qu'une soirée de désœuvrement. Nous n'avons pas de livre et j'ai perdu mon crochet à Florence.

— Bon. Miss Abbott, venez-vous aussi?

— Vous êtes très aimable, Mr. Herriton. Le spectacle me plairait par certains côtés, mais... pardonnez-moi cette suggestion : à mon avis, nous ne devrions pas prendre des places bon marché.

— Seigneur ! s'écria Harriet, je n'y avais pas
pensé le moins du monde. Nous aurions pu tout
aussi bien lésiner un peu et nous trouver assis au
milieu de gens impossibles. On oublie toujours ces
sortes de choses en Italie.

— Malheureusement, je n'ai pas de robe de
soirée ; et si les places...

— Oh ! rassurez-vous, dit Philippe, que la prudence et les scrupules de ses femmes firent sourire.
Nous irons comme nous sommes et nous prendrons
ce que nous trouverons de mieux. Monteriano n'est
pas formaliste.

Ainsi, cette journée tendue, qui avait vu se suc-
céder résolutions, plans, alarmes, combats, victoires, défaites et trêves, se termina à l'Opéra. Les
deux jeunes dames avaient un peu honte. Elles
pensaient aux amis de Sawston, qui les croyaient,
à cet instant, en plein assaut contre les puissances
du mal. Que diraient Mrs. Herriton, Irma ou les
pasteurs de « l'arrière-boutique » s'ils voyaient leur
équipe de sauvetage, au premier jour de sa mission,
en un tel lieu de divertissement ? Philippe, pour sa
part, s'émerveillait de son propre entrain. Décidément, ce séjour à Monteriano l'amusait, malgré
une compagnie ennuyeuse et ses propres bouffées
de mauvaise humeur.

Philippe était entré déjà dans cette salle plusieurs années auparavant, lors de la représenta-

tion de *La Zia di Carlo*. On l'avait restaurée, depuis, dans les nuances betterave et tomate. Par
bien d'autres côtés, d'ailleurs, elle faisait honneur
à la petite ville. On avait élargi l'orchestre ; des
draperies de terre cuite ornaient certaines loges, et
au-dessus de chacune pendait une énorme ta-
blette, proprement encadrée, portant son numéro.
Il y avait aussi le rideau — un paysage rose et
pourpre, où s'ébattait une troupe nombreuse de
dames peu vêtues, cependant que deux autres
dames, couchées au sommet du proscenium, sou-
tenaient un cadran d'horloge, énorme et pâle. La
somptuosité et l'horreur de l'ensemble étaient
telles que Philippe ne put réprimer un cri. Le mauvais goût, en Italie, a quelque chose de majes-
tueux. Ce n'est pas celui d'un pays qui ne peut rien
offrir de mieux. La vulgarité anglaise est inquiète,
et l'allemande a des œillères : le mauvais goût
italien voit la beauté et l'outrepasse, mais en
conserve l'assurance. Le minuscule théâtre de
Monteriano rivalisait impudemment avec les meilleurs et les dames soutenant l'horloge eussent
adressé un signe de tête aux jeunes hommes de la
Sixtine.

Philippe avait demandé une loge, mais les meilleures étaient déjà prises pour cette soirée de gala
et il dut se contenter de stalles. Harriet faisait
preuve d'une insularité chagrine. Miss Abbott, gra-
cieuse, louait tout avec insistance et regrettait

seulement de n'avoir pas emporté une jolie robe.

— Nous sommes très bien ainsi, dit Philippe, que cette vanité insolite amusait.

— Oui, je sais ; mais dans une valise, on empile aussi bien de jolies choses que de laides. Rien ne nous obligeait à venir en Italie habillées en épouvantails.

Il ne répondit pas, cette fois : « Mais nous sommes ici pour sauver un enfant. » Car ses yeux voyaient un tableau charmant, comme ils n'en avaient pas vu depuis des années : le théâtre cramoisi ; au dehors, les tours et les portes sombres dans des murailles médiévales ; plus loin encore, les oliviers sous les étoiles, le blanc lacet des routes, les lucioles, la poussière immobile ; et ici même, au centre de tout, Miss Abbott, regrettant d'être mise comme un épouvantail. Elle avait frappé juste. Incontestablement, elle avait frappé juste. Cette roide vierge provinciale se détendait devant la châsse.

— N'aimez-vous pas un petit peu cela ? demanda-t-il.

Elle répondit : « Énormément. » Et cet audacieux échange les convainquit tous deux que la poésie était là.

Le rideau, cependant, avait provoqué, chez Harriet, une toux menaçante ; soudain, il s'éleva, découvrant les terres de Ravenswood et le chœur des chasseurs écossais éclata. L'auditoire, qui soutenait, en frappant ou tambourinant la mesure,

oscilla dans la mélodie comme un champ de blé
sous le vent. Harriet, qui sans aimer la musique
savait l'écouter, fit entendre un aigre « Chtt » !

— Tais-toi ! souffla son frère.

— Il ne faut pas attendre pour protester. Les
gens parlent.

— C'est ennuyeux, murmura Miss Abbott, mais
est-ce bien à nous à protester?

Harriet, secouant la tête, fit de nouveau retentir son « Chtt » ! Les gens se turent : on a le
droit de parler pendant les chœurs, mais il est
naturel, aussi, de se montrer courtois envers des
hôtes. Pendant quelques instants, Harriet fit
régner l'ordre dans toute la salle et jeta vers son
frère un regard satisfait.

Ce triomphe agaça Philippe. Il avait saisi, pour
sa part, le principe de l'opéra en Italie, qui vise
non à l'illusion mais au divertissement, et il n'avait
aucune envie que cette soirée de gala fût méta-
morphosée en réunion de prière. Mais bientôt les
loges s'emplirent et le règne d'Harriet prit fin.
Les familles se saluaient à travers la salle. Du par-
terre, les spectateurs, hélant leurs frères et fils
dans le chœur, leur assurèrent qu'ils chantaient
comme des anges. Quand Lucia apparut au bord
de la source, de vifs applaudissements s'élevèrent,
mêlés de cris : « Bienvenue à Monteriano ! »

— Ridicules gamins ! dit Harriet, en se carrant
dans son fauteuil.

— Mais non, cria Philippe, c'est la grande favo-
rite des Apennins, celle qui jamais, jamais n'était...

— Tais-toi ! Elle va être horriblement vulgaire.
Et ce sera pire que dans le tunnel. Ah ! pourquoi
sommes-nous...

Lucia se mit à chanter et l'on fit silence, un instant. Elle était lourde et laide ; mais sa voix restait belle et la salle entière, à son chant, bourdonna
doucement comme une ruche d'abeilles heureuses.
La coloratura fut tout au long ponctuée de soupirs et la dernière note aiguë monta dans une cla-
meur d'universelle allégresse.

L'opéra était désormais lancé. Les chanteurs
tiraient leur inspiration de l'auditoire et les deux
grands sextuors furent rendus avec quelque brio.
Miss Abbott entra dans le jeu. Elle rit, bavarda,
applaudit, bissa et jouit librement de la beauté
présente. Quant à Philippe, il avait oublié son
existence propre et sa misssion. Il n'était même
plus un hôte enthousiaste. Il avait toujours vécu
là. Il était chez lui.

Harriet pour sa part — tel M. Bovary en une
occasion plus fameuse — essayait de saisir l'in-
trigue. De temps à autre, avec un coup de coude,
elle demandait à ses compagnons ce qu'était devenu Walter Scott. Elle promenait autour d'elle
un regard farouche. La salle entière paraissait
ivre. Caroline elle-même, qui ne buvait jamais une
goutte d'alccol, oscillait d'étrange façon. De fu-

rieuses vagues d'excitation, toutes nées d'incidents minimes, balayaient soudain l'auditoire. La scène de folie en fournit le point culminant. Lucia, vêtue de blanc, comme l'exigeait son état de santé, retordit soudain en chignon le flot de ses cheveux et salua gracieusement le public. Aussitôt, du fond de la scène qu'elle feignait de ne pas voir, surgit un chevalet de bambou, complètement hérissé de bouquets. L'engin était hideux, la plupart des fleurs, fausses. Lucia le savait, l'auditoire aussi et nul n'ignorait que le chevalet de bambou constituait un accessoire de théâtre, régulièrement introduit pour déchaîner l'enthousiasme. Les grandes vannes n'en furent pas moins ouvertes. Avec un cri aigu de surprise et de joie, elle étreignit l'animal fabuleux, lui arracha deux ou trois fleurs arrachables et, les ayant pressées contre ses lèvres, les lança dans l'espace peuplé d'admirateurs. Ils les lui renvoyèrent avec de mélodieuses clameurs. Un petit garçon, dans l'une des baignoires, empoignant les œillets de sa sœur, les offrit. « Che carino ! » s'écria la chanteuse. Elle courut vers le petit garçon et l'embrassa. Le bruit devint prodigieux. « Silence ! Silence ! » crièrent quelques vieux messieurs, au fond de la salle. « Laissez chanter encore la divine créature ! » Mais les jeunes hommes de la loge voisine suppliaient Lucia d'étendre jusqu'à eux ses politesses. Elle s'y refusa d'un geste expressif et plaisant. Un des jeunes gens lui lança un bouquet de plein fouet. Elle le repoussa d'abord du pied. Puis, encouragée par les éclats de rire et les cris de l'auditoire, elle ramassa le bouquet et le relança vers la loge. Harriet n'avait jamais de chance. Le bouquet la frappa en pleine poitrine et le billet doux qui s'en échappa vint tomber sur ses genoux.

— Et tu appelles cela classique? cria-t-elle en se levant. Ce n'est même pas convenable! Philippe! Emmène-moi tout de suite.

Son frère, cependant, brandissait déjà le bouquet d'une main et le billet doux de l'autre.

— A qui est-ce? hurla-t-il. A qui est-ce?

La salle explosa ; dans une des loges, violemment secouée, on paraissait traîner quelqu'un de force au premier rang. Harriet fila vers le couloir en contraignant Miss Abbott à la suivre. Philippe, toujours riant et clamant : « A qui est-ce? » courut pour les rejoindre. Il était ivre d'excitation. Chaleur, fatigue et amusement lui avaient tourné la tête.

— A gauche! lui cria-t-on. L'innamorato est à gauche.

Abandonnant ses dames, il plongea vers la loge. Un jeune homme fut projeté jusqu'à mi-corps par-dessus la balustrade. Philippe, à bout de bras, lui tendit bouquet et billet. Mais on empoigna ses deux mains avec une chaude affection. Tout parut naturel.

— Pourquoi n'avez-vous pas écrit? s'écria le jeune homme. Pourquoi me prendre par surprise?

— Pardon, j'ai écrit, dit Philippe, hilare. J'ai laissé un billet cet après-midi.

— Silence ! silence ! cria le public, qui commençait à en avoir assez. Laissez chanter encore la divine créature.

Miss Abbott et Harriet avaient disparu.

— Non ! Non ! s'exclama le jeune homme. Vous ne m'échapperez pas maintenant.

Car Philippe tentait faiblement de libérer ses mains. D'aimables jeunes gens, penchés hors de la loge, l'invitèrent à y entrer.

— Les amis de Gino sont les nôtres...

— Amis? cria Gino. C'est un parent ! Un frère ! Fra Filippo, qui a fait tout le chemin d'Angleterre et qui ne m'a jamais écrit.

— J'ai laissé un billet.

Le public se mit à siffler.

— Venez parmi nous.

— Merci... des dames... pas le temps...

Une seconde après, il se trouva suspendu par les bras. L'instant suivant, il piquait dans la loge, par-dessus la balustrade. Aussitôt, le chef d'orchestre jugeant l'incident clos, leva son bâton. Le public tout entier se tut et Lucia di Lammermoor reprit son chant de folie et de mort.

Philippe, à voix basse, avait échangé des présentations avec les charmants compagnons qui l'avaient hissé dans la loge : fils de commerçants, peut-être, étudiants en médecine, clercs de notaires ou fils d'autres dentistes. L'Italie ignore le Bottin mondain. L'hôte de la soirée était un simple soldat qui, maintenant, partageait cet honneur avec Philippe. Tous deux durent s'asseoir côte à côte au premier rang et échanger des politesses, tandis que Gino présidait avec courtoisie, mais aussi avec une familiarité charmante. De temps à autre, un frisson d'horreur parcourait Philippe : quel désordre il venait ainsi de créer ! Mais, le frisson une fois évanoui, il se trouvait sous le charme des voix bienveillantes et gaies, du rire jamais insipide et de la caresse légère du bras autour de ses épaules.

Quand on lui permit enfin de partir, l'opéra touchait à sa fin et Edgardo chantait parmi les tombes de ses ancêtres. Les nouveaux amis de Philippe espéraient le revoir au Garibaldi, dans la soirée du lendemain. Il promit et ne se souvint qu'ensuite qu'il serait parti de Monteriano si l'on s'en tenait au plan d'Harriet.

— A dix heures, donc, dit-il à Gino. Je veux vous voir seul demain, à dix heures.

— Certainement, dit l'autre en riant.

Miss Abbott avait attendu Philippe. Harriet, semblait-il, avait gagné son lit tout droit.

— C'était lui, n'est-ce pas? demanda la jeune fille.

— Plutôt.

— Vous n'avez rien conclu, je pense?

— Mais non ! Comment aurais-je pu? En fait…
j'ai été pris au dépourvu, mais après tout quelle
importance cela a-t-il? Il n'y a aucune raison pour
ne pas arranger cette affaire à l'amiable. Lui et ses
amis sont charmants. Et maintenant, je suis son
ami — son frère trop longtemps perdu ! Où est le
mal? Je vous le dis, Miss Abbott, l'Angleterre est
une chose, l'Italie, une autre. Là-bas, nous voulons tout prévoir, nous montons sur nos grands
chevaux de morale. Ici, nous découvrons notre
stupidité, car les choses se font très bien toutes
seules. Oh ! oh ! quelle nuit ! Aviez-vous jamais vu
déjà un vrai ciel violet et de vraies étoiles d'argent? Bref, nous aurions tort de nous chagriner.
Gino, comme je vous le disais tantôt, n'est pas un
ogre. Il n'a pas plus besoin que moi de cet enfant.
Il m'a pris, jadis, pour tête de Turc (et je le lui ai
pardonné) : c'est aujourd'hui le tour de ma mère.
Oh ! il ne manque pas d'humour !

Non moins ravie de sa soirée, Miss Abbott ne se
souvenait pas plus que Philippe d'un ciel pareil,
de pareilles étoiles. Sa tête aussi débordait de musique et quand elle ouvrit ses fenêtres, un air chaud
et parfumé emplit sa chambre. Par le dehors, par
le dedans, elle baignait dans la beauté ; le bonheur
l'empêcha de se coucher. Avait-elle jamais connu
pareil bonheur? Oui, une fois, et ici même, la nuit

de mars où Lilia et Gino lui avaient appris leur
amour — la nuit qui avait fait le mal que, maintenant, elle venait défaire.

Elle poussa un brusque cri de honte. « Au même
lieu, la même chose — cette fois » — elle voulut
courber son bonheur, qu'elle connaissait pour coupable. Elle était venue ici pour lutter et pour arracher à ce lieu une petite âme encore innocente.
Elle était venue soutenir la cause de la morale, de
la pureté et de la sainte vie familiale anglaise. Ce
printemps, elle avait péché par ignorance, elle
n'était plus ignorante. « Secourez-moi ! » s'écria-
t-elle en fermant la fenêtre à l'air environnant,
lourd de magie. Mais les mélodies, qui hantaient
sa tête, refusèrent de déloger et toute la nuit elle
fut troublée par des torrents de musique, des applaudissements, des rires et le chant irrité de
jeunes hommes, qui déchiffraient dans le Baedeker le distique :

> *Poggibonizzi fatti in là,*
> *Che Monteriano si fa città!*

Or, ce chant, dans son rêve, démasquait Poggibonsi. C'était un lieu sans joie, chaotique, plein
d'êtres qui faisaient semblant. A son réveil, elle
le reconnut : Sawston.

CHAPITRE VII

Vers les 9 heures, le lendemain matin, Perfetta, dans la loggia, se tournait vers le paysage, non pour le regarder, mais pour lui lancer de l'eau sale. « *Scuse tante!* » gémit-elle, car l'eau venait d'éclabousser la grande et jeune dame qui, depuis quelque temps déjà, frappait à la porte du bas.

— Signor Carella est-il chez lui? demanda la jeune dame.

Se scandaliser n'était pas l'affaire de Perfetta. D'ailleurs, le style de la visiteuse paraissait exiger le salon de réception. Elle en ouvrit donc les persiennes, fit d'un coup de chiffon une tache ronde dans la poussière d'un fauteuil de crin et pria la dame de bien vouloir prendre la peine de s'asseoir. Enfin, elle courut dans Monteriano et, tout au long des rues, héla son maître, qui finirait bien par l'entendre.

Le salon de réception était consacré à l'épouse morte. Sa photographie sur papier brillant était accrochée au mur, identique, sans aucun doute, à

celle qui devait être collée sur sa tombe. Une petite
draperie noire avait été fixée par des semences au-
dessus du cadre pour donner de la dignité au malheur. Mais deux des semences étant tombées, l'effet
était maintenant désinvolte, comme le guingois
d'un bonnet d'ivrogne. Une chanson nègre restait
ouverte sur le piano et, des deux tables, l'une portait un Baedeker (Italie centrale), l'autre le coffret
marqueté d'Harriet. Sur l'ensemble pesait une
poussière blanche dont le dépôt, soufflé d'une re-
lique, allait ensevelir un peu plus la suivante. Être
aimé tendrement en souvenir, c'est bien. Être entièrement oublié, ce n'est pas si terrible. Mais si
quelque chose de terrestre doit jamais nous of-
fenser, ce sera la considération d'une pièce aban-
donnée.

Miss Abbott avait refusé de s'asseoir : d'abord
parce que les housses des fauteuils pouvaient recéler
des puces, ensuite parce que, bien près de s'évanouir, elle avait été heureuse de s'accrocher au
tuyau du poêle. Elle lutta pour se dominer, car
elle avait besoin d'être très calme, pareille attitude
étant la seule justification de sa démarche. Elle
avait trahi la parole donnée à Philippe et à Harriet :
elle venait tenter de prendre l'enfant la première.
Faute de réussir, elle n'oserait jamais plus regarder
ses amis en face.

Elle raisonnait ainsi : « Harriet et son frère ne
voient pas ce qui les attend : elle va parler haut,

se montrer insolente ; lui, aimable, tournera la chose en plaisanterie. Tous deux échoueront, même s'ils offrent de l'argent. Je commence, au contraire, à comprendre cet homme : il n'aime pas l'enfant, mais se montrera susceptible, ce qui ne vaut pas mieux pour nous. Il est charmant, mais nullement stupide ; il m'a envoûtée l'an passé ; il a envoûté Mr. Herriton hier soir et si je n'y prends garde, il nous envoûtera tous aujourd'hui et l'enfant grandira à Monteriano. Cet homme est terriblement fort ; Lilia l'a appris à ses dépens et je reste seule à m'en souvenir. »

La tentative de Miss Abbott comme la justification qu'elle en donnait étaient le résultat d'une longue nuit sans repos. La jeune fille avait fini par croire qu'elle seule pouvait engager la bataille avec Gino, parce qu'elle seule le comprenait ; elle avait exprimé cela le mieux possible dans un billet laissé à l'hôtel pour Philippe. La rédaction de ce billet lui avait été pénible : son éducation, d'une part, l'inclinait au respect des mâles et, d'autre part, depuis leur étrange entretien, elle s'était prise d'affection pour lui. La mesquinerie du jeune homme se dissiperait un jour ; quant à son « absence de préjugés », objet de tant de commérages à Sawston, elle apparaissait maintenant à la jeune fille très voisine d'idées qui lui étaient, personnellement, familières. Si seulement il lui pardonnait ce qu'elle était en train de faire, une longue et riche amitié n'était pas improbable entre eux. Mais pour cela, il fallait réussir ; sinon personne ne lui pardonnerait. Ainsi, elle se préparait à la bataille contre les puissances du mal.

La voix de l'ennemi retentit enfin : il chantait sans crainte, à pleins poumons, comme un professionnel. En quoi il se distinguait des Anglais, qui se méfient toujours un peu de la musique et ne chantent que de la gorge, en s'excusant. Il grimpa l'escalier à pas feutrés et, en passant devant la porte ouverte, jeta un regard dans le salon sans voir Miss Abbott. Le cœur battant, la bouche sèche, elle l'écouta passer en chantant dans la pièce en face. N'être pas aperçu est toujours alarmant.

Comme il avait laissé la porte ouverte, la jeune fille put voir, à travers le palier, l'autre pièce. Elle offrait un affreux désordre. Reliefs d'un repas, draps et couvertures, souliers vernis, assiettes sales et couteaux jonchaient la grande table et le parquet. C'était la vie, pourtant, et non le malheur qui avait créé ce désordre. Bien préférable à la chambre funèbre où Miss Abbott se tenait immobile, il était éclairé par une lumière ample et douce, signe de quelque aimable et noble ouverture.

L'homme cessa de chanter et cria : « Où est Perfetta? »

Le dos tourné, en train d'allumer son cigare, il ne s'adressa pas à elle. Il ne pouvait même pas songer à elle. L'enfilade, formée par le palier et les deux portes ouvertes, le rendait à la fois lointain et fascinant, pareil à un acteur en scène, intimement connu et pourtant inapprochable. Elle ne pouvait pas plus l'appeler qu'Hamlet.

— Tu le sais ! poursuivit-il, mais tu ne veux pas me le dire. Voilà comment tu es, toi. (Se penchant vers la table, il souffla un anneau de fumée corpulent.) Et le nombre, pourquoi refuses-tu de me le dire? J'ai rêvé d'une poule rousse, ce qui signifie deux cent cinq ; et d'un ami que je n'attendais pas ; quatre-vingt-deux. Mais je joue le Terno, cette semaine. Donne-moi donc un autre numéro.

Miss Abbott ne connaissait pas la tombola. Ce discours la terrifia. Elle était sous le coup des subtiles inhibitions de la fatigue. Si sa nuit avait été bonne, elle eût salué Gino dès son apparition. Ce n'était plus possible maintenant : il était passé dans un autre monde.

Elle demeura l'œil fixé sur l'anneau de fumée. Le courant d'air l'avait entraîné doucement, intact, jusque sur le palier.

— Deux cent cinq et quatre-vingt-deux. En tout cas, je prendrai ces numéros pour Bari plutôt que pour Florence. Pourquoi? Je ne puis te le dire ; cette semaine, je me sens un penchant pour Bari.

Miss Abbott, de nouveau, essaya de parler, mais le rond de fumée l'hypnotisait. Ovale et vaste maintenant, il flottait à la porte du salon.

— Ah! tu t'en moques, pourvu que le gain te revienne! Tu ne diras même pas « Merci, Gino ». Dis-le, ou je secoue sur toi ma cendre chaude, ma braise chaude. « Merci, Gino... »

L'anneau étirait vers la jeune fille ses enroulements d'un bleu pâle. Elle fut saisie de panique. L'anneau, soudain, l'enveloppa. Elle sentit le souffle des abîmes et poussa un cri.

L'homme, aussitôt, fut là — l'homme et ses questions : de quoi avait elle eu peur? Comment était-elle ici? Pourquoi n'avait-elle rien dit? Il la fit asseoir. Il lui apporta du vin, qu'elle refusa. Elle ne trouvait pas un mot à lui dire.

— Qu'y a-t-il donc? répétait Gino. De quoi avez-vous peur?

Lui aussi avait peur. La sueur perlait sur son hâle. Être épié est chose grave. Chacun de nous, quand il se croit seul, laisse rayonner autour de lui une âme curieusement secrète.

— Pour affaire... dit-elle enfin.

— Une affaire? Avec moi?

— Une affaire très importante. Elle gisait, pâle et sans forces, dans le fauteuil poussiéreux.

— Avant toute affaire, il faut vous remettre : voilà du très bon vin.

Elle refusa faiblement. Il emplit un verre, elle le prit. Tandis qu'elle buvait, la honte la saisit. Si importante que fût l'affaire, il était indécent pour elle d'avoir rendu visite à cet homme et d'accepter son hospitalité.

— Vous êtes pris, sans doute, dit-elle. Et comme, pour ma part, je ne me sens pas bien...

— Vous n'êtes pas assez bien pour partir. Et je ne suis pas pris.

Elle jeta un regard inquiet vers l'autre pièce.

— Ah, je comprends ! s'écria-t-il. Je vois ce qui vous a fait peur. Pourquoi n'avoir pas parlé ?

Et la conduisant dans sa propre chambre, il montra du doigt... l'enfant.

Elle avait tant pensé à cet enfant, à son bien-être, à son âme, à ses qualités morales et à ses défauts probables ! Mais, comme la plupart des célibataires, elle avait simplement pensé au mot : enfant, ainsi, un homme en parfaite santé pense au vocable « mort » plutôt qu'à la mort elle-même. La vraie chose, endormie sur un tapis sale, la déconcerta. Elle avait cessé de représenter un principe. Elle n'était plus que chair et que sang mesurables, tant de grammes, tant de centimètres de vie — fait rayonnant, réalité indéniable qu'un homme et une femme avaient accordée à la terre. Vous pouviez lui parler ; elle vous répondrait un jour, un autre jour ne vous répondrait pas si elle préférait se taire, mais, dans les bornes de son corps, produirait une sécrétion admirable de pensées et de passions propres. Telle apparaissait la machine sur laquelle, depuis des mois, Miss Ab-

bott, Mrs. Herriton, Philippe, Harriet, avaient
tous projeté leurs idéaux divers, décidant que,
l'instant venu, elle irait d'ici ou de là et accompli-
rait telle ou telle action. Elle serait « Low Church »
avaient-ils résolu, hautement morale, pleine de
tact, de savoir-vivre, de goûts esthétiques — excellentes idées sans doute. Pourtant, à voir l'enfant
endormi sur son tapis sale, Miss Abbott éprouva
surtout le désir de n'imposer aucune d'elles et de
limiter sa pression à celle d'un baiser ou d'une
vague prière du cœur.

Mais ayant appris à se dominer, elle ne devait
pas encore accorder son action à ses sentiments.
Pour retrouver l'estime de soi-même, elle voulut
s'imaginer dans sa paroisse et agir comme elle l'eût
fait là-bas.

— Le bel enfant, signor Carella. Et comme vous
lui parlez gentiment ! Je vois bien pourtant qu'il
dort, cet ingrat petit bonhomme ! Sept mois? Mais
non, huit, naturellement. Il est tout de même très
beau pour son âge.

La langue italienne exprime mal la condescen-
dance. Les mots protecteurs prirent une grâce sincère qui fit sourire Gino de plaisir.

— Ne restez pas debout. Allons nous asseoir
dans la loggia où il fait frais. Cette pièce est dans
un affreux désordre, ajouta-t-il sur le ton d'une
maîtresse de maison qui s'excuse parce qu'un fil
traîne sur le tapis du salon.

Miss Abbott se fraya un chemin jusqu'à l'unique siège. Gino s'assit près d'elle, à cheval sur le parapet, un pied dans la loggia, l'autre pendillant dans le paysage. Son beau profil se dessinait ainsi avec beaucoup d'art sur le fond des collines, au vert vaporeux. « Il pose ! » se dit Miss Abbott. « Un talent inné de modèle. »

— Mr. Herriton est venu hier vous voir, commença-t-elle, mais vous étiez sorti.

Il se lança dans des explications aussi aimables que compliquées. Il avait passé la journée à Poggibonsi. Pourquoi les Herriton n'avaient-ils pas écrit ? Il aurait pu, alors, les recevoir de façon convenable. Poggibonsi pouvait attendre ; non que l'affaire qui l'y conduisait fût sans importance. Miss Abbott soupçonnait-elle de quoi il s'agissait ?

Miss Abbott, naturellement, ne fit preuve que d'un intérêt médiocre. Elle n'était pas venue de Sawston pour découvrir ce qu'il allait faire à Poggibonsi. Elle n'en avait pas la moindre idée, répondit-elle poliment ; mais lorsqu'elle revint à sa propre mission, il insista.

— Non, devinez ! dit-il en étreignant des deux mains la balustrade.

Doucement moqueuse, elle suggéra qu'il était allé à Poggibonsi chercher du travail.

L'affaire n'était pas si importante, donna-t-il à entendre. Du travail, presque aucune chance d'en trouver ! « E manca questo ! » ajouta-t-il en frot-

tant l'index contre le pouce pour indiquer qu'il
n'avait pas d'argent. Puis, avec un soupir, il
souffla encore un rond de fumée. Miss Abbott prit
courage et devint diplomate.

— Cette maison, dit-elle, est une grande maison.

— Exactement, répondit-il d'un ton lugubre.
Après la mort de ma pauvre femme...

Il se leva, rentra et, à l'autre bout du palier, s'en
fut fermer avec respect la porte du salon de réception. Puis, ayant repoussé du pied la porte de
sa chambre, il se remit allégrement à califourchon et poursuivit :

— Après la mort de ma pauvre femme, j'ai cru
que mes parents pourraient vivre ici, avec moi.
Mon père désirait abandonner son cabinet à Empoli, ma mère, mes sœurs et deux tantes étaient
d'accord. Mais la chose s'est révélée impossible.
Ils ont leurs habitudes auxquelles je m'adaptais
autrefois, quand j'étais plus jeune. Mais maintenant, je suis un homme. Moi aussi, j'ai mes habitudes, comprenez-vous?

— Certes oui, je comprends, dit Miss Abbott.

Elle avait pensé à son cher vieux père, dont les
manies, après vingt-cinq ans, commençaient à lui
agacer les nerfs. Mais elle n'était pas ici, se souvint-elle, pour partager, ou du moins pour montrer
qu'elle partageait le point de vue de Gino. D'ailleurs, se souvint-elle encore, il ne méritait pas sa
sympathie.

— C'est une grande maison, répéta-t-elle.

— Immense ; et avec des impôts... ! Mais tout s'arrangera quand... Oh, vous n'avez pas deviné ce que j'allais faire à Poggibonsi, ni pourquoi Herriton ne m'a pas trouvé chez moi.

— Je ne puis deviner, signor Carella. Je suis venue vous proposer une affaire.

— Mais essayez de deviner.

— Impossible, je vous connais à peine.

— Nous sommes de vieux amis, cependant, dit-il ; votre approbation me sera précieuse. Vous me l'avez donnée une première fois. Et maintenant ?

— Je ne suis pas venue en amie, cette fois, répondit-elle avec raideur. Il est peu probable, signor Carella, que j'approuve l'une de vos actions.

— Oh, Signorina ! (Il rit comme s'il la trouvait piquante et spirituelle.) Vous approuvez sûrement le mariage ?

— Quand il s'accompagne d'amour, dit Miss Abbott.

Elle le fixa durement. Cette année avait altéré le visage du jeune homme, mais, fait déconcertant, sans l'enlaidir.

— Quand il s'accompagne d'amour, dit-il, en faisant poliment écho à la formule anglaise. Puis il sourit, et attendit les félicitations.

— Dois-je comprendre que vous avez l'intention de vous remarier ?

Il approuva d'un signe de tête.

— Eh bien, je vous le défends !

Il ouvrit de grands yeux, puis se mit à rire : quelque badinage étranger, sans doute.

— Je vous le défends, répéta Miss Abbott, sur un ton où vibrait son indignation de femme et d'Anglaise.

— Mais pourquoi?

Brusquement debout, les sourcils froncés, il avait posé la question d'une petite voix irritée et piaillante, pareille à celle d'un enfant à qui on refuse un jouet.

— Vous avez déjà ruiné la vie d'une femme ; je vous défends d'en ruiner une autre. Lilia est morte voici moins d'un an. L'autre jour, devant moi, vous prétendiez l'avoir aimée. Vous mentiez. Vous n'avez voulu que son argent. Et cette femme, a-t-elle aussi de l'argent?

— Eh bien, oui ! Un peu, dit-il avec irritation.

— Et vous allez sans doute dire que vous l'aimez.

— Non, je ne le dirai pas, ce serait faux. Maintenant que ma pauvre femme...

Il s'interrompit, prévoyant des difficultés. En vérité, il avait souvent jugé Lilia aussi agréable que n'importe qui.

Cette dernière insulte à la mémoire de la morte emplit de rage Miss Abbott, soulagée, au fond, de s'en retrouver capable. Palpitante, le visage en feu, elle parla d'un seul trait, et vite. Sa péroraison une

fois lancée, elle aurait pu sortir avec majesté de la
pièce, si seulement la tâche de ce jour avait été
remplie. Mais le bébé demeurait là, endormi sur
son tapis sale.

Gino, pensif, se grattait la tête. Respectant
Miss Abbott, il aurait bien voulu qu'elle le res-
pectât.

— Ainsi, vous me déconseillez le mariage? dit-
il d'un ton plaintif. Pourquoi serait-il fatalement
un échec?

Miss Abbott tenta de se souvenir que Gino restait un enfant, avec la force et les passions d'un
homme peu recommandable.

— Et comment serait-il une réussite, demanda-
t-elle avec solennité, puisque l'amour ne l'accompagne pas?

— Mais elle m'aime! J'avais oublié de vous le
dire.

— Ah!

— Passionnément.

Il posa la main sur son propre cœur.

— Eh bien, que Dieu la protège!

Il frappa du pied avec impatience.

— Tout ce que je dis vous déplaît, signorina.
Dieu vous protège vous, car vous êtes fort injuste.
Vous dites que j'ai maltraité ma chère femme. C'est
faux. Je n'ai jamais maltraité personne. Vous dites
que l'amour n'accompagne pas mon mariage. Je
vous prouve le contraire et votre fureur augmente.

Que vous faut-il? Pensez-vous qu'elle ne sera pas satisfaite? Elle est contente de m'avoir, en somme, et fera son devoir.

— Son devoir! cria Miss Abbott, avec toute l'amère violence dont elle était capable.

— Mais naturellement. Elle sait pourquoi je l'épouse.

— Pour qu'elle réussisse mieux que ne l'a fait Lilia! Pour qu'elle soit votre servante, votre esclave, votre... (Les mots qu'elle aurait voulu dire étaient trop brutaux pour ses lèvres.)

— Pour qu'elle soigne le bébé, certainement, dit-il.

— Le bébé...?

Elle avait oublié le bébé.

— C'est un mariage anglais, dit-il fièrement. L'argent m'importe peu. J'épouse cette femme pour mon fils. N'aviez-vous pas compris cela?

— Non, dit Miss Abbott, profondément déconcertée. (Soudain, elle entrevit une lueur.) C'est inutile, signor Carella. Puisque vous êtes las de cet enfant...

Elle ne devait jamais oublier que, pour son honneur, elle reconnut aussitôt sa faute.

— Ce n'est pas ce que je veux dire, reprit-elle vivement.

— Je sais, répondit-il avec courtoisie. Ah! dans une langue étrangère (encore que votre italien soit parfait), on commet des erreurs, fatalement.

Elle examina son visage. Toute raillerie en était absente, apparemment.

— Vous vouliez dire qu'il nous est encore impossible de rester constamment ensemble, lui et moi. Vous avez raison. Que faut-il donc faire? Je ne puis payer une garde et Perfetta a des façons trop rudes. Je n'ai pas permis qu'elle le touchât pendant sa maladie. Quand il faut le laver, ce qui arrive de temps à autre, qui donc le fait? Moi. C'est moi qui le nourris, ou qui décide ce qu'il faut lui donner. Je dors auprès de lui et je le console quand il est malheureux pendant la nuit. Nul ne lui parle, nul ne peut lui chanter que moi. Ne soyez pas injuste, cette fois; tout cela me plaît. Pourtant — (il prit une voix pathétique) — ces soins prennent beaucoup de temps et ne conviennent pas toujours à un jeune homme.

— Non, ils ne vous conviennent pas du tout, dit Miss Abbott.

Très lasse, elle ferma les yeux. Ses difficultés ne cessaient de croître. Elle regretta sa fatigue, qui la livrait sans résistance à des impressions contradictoires. Ah! que n'avait-elle l'obtuse solidité d'Harriet, ou la diplomatie sans âme de Mrs. Herriton!

— Encore un peu de vin? demanda Gino avec bonté.

— Oh non, merci! Mais le mariage, signor Carella, est un acte grave. Ne pourriez-vous

trouver un arrangement plus simple? Votre parente, par exemple...

— A Empoli? Et pourquoi pas en Angleterre !

— Eh bien ! soit, en Angleterre...

Il rit.

— Il a sa grand-mère, là-bas, vous savez,
Mrs. Theobald.

— Il a une grand-mère ici. Non, ce n'est pas
commode, mais je dois le garder auprès de moi. Je
ne permettrai même pas que mon père et ma mère
viennent ici m'aider. Ils nous sépareraient, ajouta-
t-il.

— Comment?

— Ils nous sépareraient en pensée.

Elle se tut. Ce garçon vicieux et cruel connaissait d'étranges raffinements. L'horrible vérité —
que les méchants sont capables d'amour — fut
soudain dévoilée à Miss Abbott, et sa conscience
morale en resta comme abasourdie. Son devoir
était de sauver l'enfant, de l'arracher à la contagion. Elle entendait bien toujours faire son devoir.
Mais le sentiment confortable de sa propre vertu
l'abandonnait. Une réalité se dressait devant elle,
plus grande que celle du bien et du mal.

Gino, oubliant qu'il s'agissait d'un entretien,
était distraitement revenu dans la chambre, poussé
par un instinct que Miss Abbott venait d'émouvoir
en lui.

— Réveille-toi ! cria-t-il au bébé, comme il l'eût

fait à un ami adulte. Puis, élevant un pied, il lui tapota doucement le ventre.

La jeune fille poussa un cri :

— Oh, prenez garde !

Ce procédé pour réveiller les tout petits ne lui était pas familier.

— Il n'est guère plus long que mon soulier, n'est-ce pas? Pouvez-vous imaginer qu'un jour il en portera d'aussi grands? Et, lui aussi...

— Vous le traitez vraiment d'une manière...

Il resta immobile, un pied posé sur le petit corps, brusquement perdu dans un rêve, plein du désir que son fils fût pareil à lui, eût un jour des fils comme lui, des fils qui peupleraient la terre. C'est le plus fort désir qui puisse envahir un homme (en admettant qu'il l'envahisse jamais), c'est un désir plus fort que l'amour ou que la soif d'immortalité personnelle. Tous les hommes disent l'éprouver et s'en font gloire ; mais la plupart aiment ailleurs. L'être capable de se voir lui-même comme une source de vie éternelle, physique aussi bien que spirituelle — cet être-là est exception. Miss Abbott, malgré sa vertu, était, pour sa part, incapable d'une telle intuition, pourtant moins rare chez les femmes. Lorsque Gino, s'étant touché la poitrine du doigt le pointa vers l'enfant et dit : « Père, fils », elle crut encore à du babillage et sourit machinalement.

Soudain, l'enfant, prémices de postérité, ouvrit

les yeux et regarda fixement. Gino, sans broncher, poursuivit l'exposé de sa politique.

— Cette femme fera exactement ce que je lui dirai. Elle aime les enfants. Elle est propre ; elle a une voix agréable. Elle n'est pas belle, à coup sûr ; je ne vais pas vous mentir sur ce point. Mais elle est tout ce qu'il me faut.

Le bébé hurla d'une voix stridente.

— Mais prenez garde ! implora Miss Abbott. Vous l'écrasez.

— Ce n'est rien. S'il pleurait en silence, vous pourriez avoir peur. Il pense que je vais le baigner, en quoi il a tout à fait raison.

— Le baigner ? cria-t-elle. Vous ? Ici ?

La bonhomie de cette annonce démonta Miss Abbott. Elle avait consacré plus d'une demi-heure à des travaux d'approche, à de vertueuses attaques, sans éveiller chez l'ennemi la moindre peur ou la moindre colère, sans déplacer même un détail dans sa vie domestique.

— J'étais dans la pharmacie, dit-il, confortablement assis, quand je me suis souvenu, tout à coup, que Perfetta avait fait chauffer de l'eau depuis une heure — là, regardez, sous le coussin. Je suis rentré aussitôt, car, franchement, il a besoin d'un bain. Excusez-moi. Cela ne peut plus attendre.

— Je vous ai fait perdre votre temps, dit-elle d'une voix faible.

D'un pas sévère, il gagna la loggia et en revint

avec une grande cuvette en terre. L'intérieur était
sale ; il le frotta avec une serviette de table. L'eau
chaude était dans un pot de cuivre ; il la versa,
ajouta de l'eau froide. Il fouilla dans sa poche et
en sortit un morceau de savon. Puis il saisit l'enfant et, le cigare entre les dents, se mit à le dé-
mailloter. Miss Abbott fit mine de s'éloigner.

— Mais pourquoi partez-vous ? Excusez-moi si
je le baigne pendant que nous bavardons.

— Je n'ai rien de plus à vous dire, répondit
Miss Abbott.

Il ne lui restait plus qu'à rejoindre Philippe, à
lui avouer sa défaite lamentable, en lui souhaitant
de mieux réussir à sa place. Maudissant sa propre
faiblesse, elle n'avait plus qu'un désir : la confesser,
sans atténuations, ni larmes.

— Oh, restez un instant, s'écria-t-il. Vous ne
l'avez pas encore vu.

— J'ai vu ce que je voulais voir, merci.

Soudain, le dernier lange tomba. Gino tendit à
la jeune fille un petit bronze gigotant.

— Prenez-le !

Elle refusa de toucher l'enfant.

— Je dois partir tout de suite, cria-t-elle, car des
larmes (et pas les bonnes) lui montaient aux yeux.

— Qui pourrait croire que sa mère était blonde ?
Il est brun des pieds à la tête, brun partout. Mais
qu'il est beau ! Et mien, mien pour toujours. Même
s'il me déteste, il sera mien. Il ne peut plus rien

y changer ; il est fait de ma chair ; je suis son père.

Maintenant, il était trop tard pour partir. Miss Abbott n'aurait pu dire pourquoi, mais il était trop tard. Lorsque Gino souleva son fils pour l'embrasser, elle tourna la tête. La scène était trop étrangère aux joliesses de la nursery. L'homme était plein de majesté ; il appartenait à la Nature ; nulle scène d'amour ne l'eût fait paraître si grand. Un admirable lien physique lie, en effet, les parents aux enfants. Par une étrange et triste ironie, il ne remonte pas, d'ailleurs, de nous à nos parents. Car si le lien était réciproque, si nous pouvions répondre à leur amour par un amour égal et non par de la gratitude, la vie perdrait beaucoup de son pathétique et de sa laideur et nous pourrions être merveilleusement heureux. Ce Gino aux baisers passionnés, cette Miss Abbott détournant les yeux par respect, ils avaient des parents, tous deux, et ne les aimaient pas outre mesure.

— Puis-je vous aider à le baigner? demanda-t-elle humblement.

Il lui tendit son fils sans un mot. Agenouillés côte à côte, tous deux, maintenant, retroussaient leurs manches. L'enfant ne pleurait plus ; une sorte d'irrésistible joie lui faisait agiter bras et jambes. Miss Abbott, comme toute femme, aimait laver n'importe quoi, a fortiori un objet humain. Une longue expérience charitable l'avait fami-

liarisée avec les bébés, et bientôt les conseils de
Gino firent place à des remerciements.

— Vous êtes trop bonne, dit-il, surtout avec
cette belle robe. Il est déjà presque propre. Moi,
il me faut toute la matinée ! Ça n'en finit pas, un
enfant. Et Perfetta le lave comme s'il était du
linge. Il crie pendant des heures, ensuite. Ma
femme aura la main légère. Bon Dieu ! Quels coups
de pied ! Vous a-t-il éclaboussée ? Je m'en excuse.

— Il me faudrait une serviette bien douce,
maintenant, dit Miss Abbott, que son service
exaltait étrangement.

— Voilà ! Voilà !

Sans hésiter, il courut au placard. Mais où
diable trouver une serviette douce ? Il bouchonnait
d'habitude l'enfant avec le premier objet sec venu.

— Et si vous aviez un peu de poudre...

Il se frappa désespérément le front. On avait
juste épuisé la réserve de poudre, semblait-il.

Elle sacrifia son propre mouchoir blanc. Gino
disposa pour la jeune fille un siège dans la loggia,
qui, orientée vers l'Ouest, restait agréablement
fraîche. Quand elle fut assise, détachée sur le fond
du paysage — trente kilomètres de paysage —
Gino posa sur ses genoux le bébé ruisselant. Il
rayonnait de santé et de grâce et reflétait le jour
comme un vase de cuivre. C'est un enfant semblable que Bellini couche, languissant, sur les
genoux de sa mère, que Signorelli jette frétillant

sur un pavé de marbre, que Lorenzo di Credi, moins divin, plus respectueux, dépose avec soin dans les fleurs, la tête sur une poignée de paille dorée. Gino, un instant, resta debout à contempler. Puis, pour mieux voir, il s'agenouilla tout près de la chaise, les mains jointes.

Tel est le groupe que Philippe vit en entrant et qu'il prit, à tous égards, pour la Vierge, l'Enfant et le Donateur.

— Eh bien ! s'écria-t-il, réjoui de trouver l'affaire en si bonne voie.

Miss Abbott ne répondit pas à son salut, mais se dressa en chancelant et tendit l'enfant à son père.

— Non, restez, murmura Philippe. J'ai lu votre billet. Je ne suis nullement offensé ; vous avez tout à fait raison. Vous m'êtes indispensable ; jamais je n'aurais réussi tout seul.

Il la vit, sans répondre un mot, porter les deux mains à ses lèvres, comme saisie d'une extrême angoisse.

— Signorina, restez encore un petit moment, après toutes vos bontés.

Elle éclata en larmes.

— Qu'y a-t-il? dit gentiment Philippe.

Elle essaya de parler, puis sortit brusquement, secouée de sanglots.

Les deux hommes, étonnés, se considérèrent. D'un même mouvement, ils coururent vers la log-

gia, juste à temps pour voir Miss Abbott dispa-
raître dans le verger.

— Qu'y a-t-il? répéta Philippe.

Il ne reçut pas de réponse ; en un sens, il n'en
avait pas besoin. Quelque chose d'étrange venait
de se produire, sentait-il, qu'il ne pouvait espérer
comprendre. Miss Abbott seule le lui révélerait, en
admettant que ce fût possible.

— Eh bien, votre affaire? demanda Gino, après
un soupir intrigué.

— Notre affaire... Miss Abbott vous en a parlé.

— Non.

— Mais voyons...

— Elle est venue pour affaires. Mais elle a
oublié ; moi aussi.

Perfetta, qui avait le don de ne trouver jamais
personne, revint à cet instant, avec d'amères lamen-
tations sur l'ampleur de Monteriano et le laby-
rinthe de ses rues. Gino lui enjoignit de veiller sur
le bébé. Puis il offrit à Philippe un cigare et la
conversation d'affaires s'engagea.

CHAPITRE VIII

— Elle est folle! hurla Harriet. Absolument folle, délirante, folle à lier !

Philippe s'abstint de la contredire.

— Pourquoi est-elle ici? Réponds-moi. Que fait-elle à Monteriano en août? Pourquoi a-t-elle quitté la Normandie? Réponds. Elle ne veut pas répondre. Moi, je peux. Elle est venue nous contrecarrer ; elle nous a trahis, après avoir volé le secret de Maman. Oh ! Seigneur, ma tête !

Philippe eut l'imprudence de répondre :

— Il ne faut pas l'accuser de cela. Elle est exaspérante, sans doute, mais elle n'est pas venue dans l'intention de nous trahir.

— Alors pourquoi est-elle venue? Réponds-moi donc.

Il ne donna pas de réponse. Par bonheur, sa sœur était trop agitée pour en attendre une.

— Ah ! son entrée ! Une irruption extravagante... en larmes, une allure à vous lever le cœur... «Je suis allée voir l'Italien » dit-elle. Inca-

pable même de parler décemment… Elle a changé
d'opinion, paraît-il. Et que nous importe son opinion? Je suis restée très calme. J'ai dit : « Miss Abbott, je crains qu'il n'y ait un certain malentendu.
Ma mère, Mrs. Herriton… » Seigneur, ma tête !
Naturellement, tu as échoué — oh ! ne prends pas
la peine de répondre, je sais que tu as échoué. Où
est l'enfant, je te prie? Naturellement, tu ne l'as
pas. La sainte et douce Caroline t'a défendu de le
prendre. Comment donc ! Il nous faut partir tout
de suite et ne plus inquiéter le père. Voilà ce qu'elle
ordonne. Ordonne ! ORDONNE !

Harriet, à son tour, éclata en sanglots.

Philippe maîtrisa sa mauvaise humeur ; sa sœur
lui semblait ennuyeuse, sans doute, mais raison-
nable dans son indignation. La conduite de Miss Abbott était pire encore qu'elle ne l'imaginait.

— Je n'ai pas obtenu l'enfant, Harriet, mais je
n'ai pas non plus tout à fait échoué. Nous devons
avoir un autre entretien, signor Carella et moi, cet
après-midi, au Café Garibaldi. Il est plein de bon
sens et de gentillesse. Si tu consentais à m'accompagner, tu constaterais qu'il ne refuse pas de
discuter. Il est terriblement à court d'argent et
sans espoir d'en gagner jamais. Voilà ce que j'ai
découvert. Par contre, il a une certaine affection
pour l'enfant.

Car Philippe, dans son entretien, avait eu moins
d'intuition, ou de chance, que Miss Abbott.

Harriet se contenta de sangloter en accusant son frère de vouloir l'insulter. L'accompagner auprès de Gino! Comment une dame pourrait-elle adresser la parole à un si horrible individu? Cela seul suffisait à classer Caroline. Pauvre Lilia!

Philippe tambourinait sur l'appui de la fenêtre. L'impasse lui apparaissait sans issue. Il avait beau parler gaiement de son second entretien avec Gino, au fond du cœur, il pressentait l'échec. Gino avait trop de courtoisie pour mettre fin aux négociations par un refus brutal; il adorait ce marchandage amène, sur un ton à demi plaisant; il adorait couvrir quelqu'un de ridicule et le faisait si gentiment qu'on ne pouvait pas s'en fâcher.

— La conduite de Miss Abbott est extraordinaire, dit enfin Philippe. Il n'en reste pas moins que...

Sa sœur refusa de l'entendre. De nouveau, elle explosa, dénonçant la folie, l'indiscrétion, l'intolérable duplicité de Caroline.

— Harriet, il faut m'écouter. Cesse donc un instant de pleurer. J'ai quelque chose de très important à te dire.

— Je ne cesserai pas de pleurer, dit-elle.

Mais voyant qu'il ne lui dirait plus rien, elle cessa.

— Note que Miss Abbott ne nous a fait aucun mal. Elle n'a pas du tout parlé du sujet avec lui et

il pense qu'elle travaille pour nous : je m'en suis
aperçu.

— Elle n'en fait rien.

— Sans doute, mais elle peut encore le faire si
tu agis avec prudence. Voici comment j'interprète
sa conduite : elle est allée voir l'Italien, avec l'intention loyale d'emporter l'enfant. Elle l'a écrit
dans le billet qu'elle m'a laissé et je ne la crois pas
capable de mensonge.

— Moi, si.

— Une fois dans la maison, elle a dû assister à
quelque épisode domestique attendrissant entre le
père et le bébé. Une vague de sentimentalité l'a
entraînée. Ou je n'entends plus rien à la psychologie, ou un reflux suivra bientôt, qui l'entraînera
en sens inverse.

— Je ne comprends rien à tes grands mots. Dis-
moi clairement…

— Dès lors son aide deviendra inestimable. Elle
a fait une forte impression sur Gino, qui la trouve
très gentille pour l'enfant. Elle a baigné son bébé
pour lui, comprends-tu?

— Dégoûtant !

Les exclamations d'Harriet étaient plus perni-
cieuses que tout le reste de sa personne. Mais Philippe n'avait aucune envie de se mettre en colère.
L'accès de joie, qui l'avait saisi la veille au théâtre,
promettait d'être permanent. Il désirait, depuis cet
instant, être plus bienveillant envers le monde.

— Si tu tiens à emporter l'enfant, fais ta paix
avec Miss Abbott. Elle peut t'aider plus que moi,
si elle le veut.

— Il ne saurait y avoir de paix entre elle et moi,
dit Harriet, l'air sombre.

— Lui as-tu...?

— Oh! pas autant que je l'aurais voulu. Avant
la fin de mon discours, elle est partie se réfugier
dans l'église, comme ces lâches Italiens!

— Dans Santa Deodata?

— Bien sûr, c'est tout ce qu'il lui faut. Moins
cela est chrétien...

Quelques instants plus tard, Philippe entrait
lui-même dans Santa Deodata, laissant sa sœur
plus calme et plus encline à considérer son avis.
Qu'était-il arrivé à Miss Abbott? Elle lui avait
paru, jusque-là, sincère et ferme. L'unïque ana-
logie qu'il pût trouver était dans la conversation
qu'ils avaient échangée l'an passé, pour Noël, dans
le train qui les amenait à Charing Cross. Une seconde fois, sans doute, Monteriano avait tourné la
tête à la jeune fille. Philippe ne lui en voulait pas,
car le succès de leur expédition le laissait indif-
férent. Il était seulement très intéressé.

Midi approchant, les rues se vidaient. La chaleur, cependant, n'était plus aussi intense; il y
avait même une promesse de pluie dans l'air.
Jamais la Piazza et ses trois attractions — Palazzo Pubblico, église collégiale et café Garibaldi

(l'esprit, l'âme et le corps) — n'avaient paru si agréables. Philippe, au milieu, s'arrêta, tout prêt à rêver. Appartenir à une cité, fût-elle médiocre, comme ce devait être beau! Cependant, il n'était ici qu'en émissaire de la civilisation et en psychologue; il soupira et pénétra dans Santa Deodata pour y poursuivre sa mission.

Une fête avait marqué l'avant-veille et l'église sentait encore l'encens et l'ail. Le jeune fils du sacristain, qui balayait la nef plus par amusement que par souci de propreté, projetait des nuages de poussière sur les fresques et quelques fidèles épars. Le sacristain, ayant appuyé son échelle au Déluge, qui couvre un des tympans, dépouillait une des colonnes des somptuosités de son calicot écarlate. Il y avait aussi beaucoup de calicot écarlate par terre (car l'église peut être aussi belle que le plus beau théâtre) et la petite fille du sacristain tentait de le plier. Elle portait une couronne de clinquant. Cette couronne, en vérité, appartenait au saint Augustin. Mais on l'avait coupée trop large et elle tombait sur les joues du saint comme un col. Franchement, c'était trop absurde. Un des chanoines, juste avant la cérémonie, l'avait dégagée et donnée à la fille du sacristain.

— S'il vous plaît, cria Philippe, y a-t-il ici une dame anglaise?

L'homme ne put répondre (il avait la bouche pleine de semences) mais tourna un visage réjoui

vers une silhouette agenouillée. Parmi ce désordre,
Miss Abbott priait.

Philippe n'en fut pas très surpris : une crise
spirituelle était à prévoir, pensait-il. Malgré son
attitude plus charitable envers les hommes, il restait, en effet, présomptueux et trop enclin à ja-
lonner d'avance le chemin qu'allait suivre une
âme blessée. Ce qui le surprit, par contre, ce fut
l'accueil naturel de la jeune fille : sans la morose
absorption en soi-même d'une personne à peine
relevée d'un agenouillement. Tel était bien l'esprit
de Santa Deodata, où la prière à Dieu n'est pas
gâtée par un mot gentil au voisin.

— J'en ai sûrement besoin, dit Miss Abbott. Et
Philippe, qui s'attendait à la voir honteuse, demeura confondu et ne sut que répondre.

— Je n'ai rien à vous dire, reprit-elle. J'ai simplement changé de camp. Si j'avais prémédité ma
conduite, elle n'aurait pu être pire à votre égard.
Je suis maintenant capable de discuter avec vous ;
mais j'ai pleuré, ayez la bonté de le croire.

— Et vous, ayez la bonté de croire que je ne
suis pas venu vous gronder. Je sais ce qui est arrivé.

— Quoi donc? demanda Miss Abbott.

Instinctivement, elle l'entraînait vers la fameuse chapelle (la cinquième à droite), où Giovan-
ni da Empoli a peint la mort et la mise au tombeau
de la sainte : loin de la poussière et du bruit, ils y

pourraient poursuivre une discussion qui promettait
d'être importante.

— Ce qui aurait pu m'arriver, à moi ; il vous a
fait croire qu'il aimait l'enfant.

— Oh ! en effet. Jamais il ne le cédera.

— A cet instant, l'affaire n'est pas encore
réglée.

— Jamais elle ne le sera.

— C'est possible. Mais, je vous l'ai dit : je sais
ce qui est arrivé et je ne viens pas vous gronder.
Je dois simplement vous prier de vous tenir à
l'écart pour l'instant. Harriet est furieuse. Elle
s'apaisera en comprenant que vous n'avez pas nui
et ne nuirez jamais à notre tentative.

— Je ne peux plus rien faire, dit-elle. Mais je ne
vous cache pas que j'ai changé de camp.

— Si vous ne faites plus rien, cela nous suffit.
Promettez-vous de ne pas nuire à notre cause en
parlant au signor Carella?

— Oh ! certainement. Je n'ai aucune envie de
lui parler encore ; je ne le reverrai plus.

— Il était charmant, n'est-ce pas?

— Tout à fait.

— Bon, c'est tout ce que je voulais savoir. Je
vais rapporter votre promesse à Harriet et tout
s'apaisera, je pense.

Il ne bougea pas, cependant. Il goûtait, à rester
près d'elle, un plaisir sans cesse croissant. Le
charme de la jeune fille était, aujourd'hui, plus

fort que jamais. Philippe en oubliait un peu sa
psychologie des réactions féminines. La vague de
sentimentalité entraînant Miss Abbott ne l'avait
rendue que plus attrayante. Philippe ne demandait
rien d'autre que de contempler sa beauté et la
tendre sagesse qui vivait en elle.

— Pourquoi n'êtes-vous pas en colère contre
moi? demanda-t-elle après un silence.

— Parce que je comprends votre point de vue,
comme celui de tous les autres : Harriet, signor
Carella, ma mère elle-même.

— Oui, vous comprenez merveilleusement. De
nous tous, vous êtes le seul à prendre une vue géné-
rale de cet imbroglio.

Philippe sourit de plaisir. C'était la première
louange qu'elle lui adressât. Avec délice, il contempla sainte Deodata, qui mourait, sur le dos,
en pleine sainteté. Une fenêtre était ouverte derrière elle, sur un paysage semblable à celui que
Philippe avait aperçu ce matin et, précisément un
pot de cuivre brillait sur le dressoir de la mère, en
habit de veuve. La sainte, cependant, ne regardait ni pot, ni paysage et la mère en habit de veuve
moins encore. Car elle avait — oui ! — une vision :
la tête et le buste de saint Augustin glissaient sur
le crépi du mur, comme un médaillon d'émail mi-
raculeux. Oh ! la gentille sainte, à qui une moitié
de saint suffit pour la regarder sur son lit de
mort ! Dans sa mort, comme dans sa vie, sainte

Deodata se contentait d'accomplissements mo-
destes.

— Qu'allez-vous donc faire? demanda Miss Abbott.

Philippe sursauta, moins surpris par les mots
que par la voix soudain changée.

— Faire? répéta-t-il, consterné. Cet après-midi,
nous aurons un autre entretien.

— Il n'aboutira à rien. Et alors?

— Un troisième entretien. S'il échoue, je télé-
graphierai pour demander des instructions. Il est
fort possible que nous échouions tout à fait, mais
nous échouerons honorablement.

Miss Abbott s'était souvent montrée résolue.
Cette fois, sa résolution laissa percer de la colère.
Elle apparut à Philippe non pas différente, mais
plus importante que d'ordinaire. Il fut touché à vif
lorsqu'elle dit :

— C'est proprement ne rien faire du tout ! Vous
feriez quelque chose, si vous voliez l'enfant ou
partiez sur l'heure. Mais cela… ! Échouer honorablement ! Se dégager le mieux possible… Est-ce
tout ce que vous cherchez?

— Ma foi… oui, dit-il d'une voix entrecoupée.
Puisque nous parlons franchement, je ne cherche
rien de plus pour l'instant. Quelle autre solution
voyez-vous? Si je peux convaincre signor Carella,
tant mieux. S'il refuse, je dois rapporter l'échec à
ma mère, et rentrer. Voyons, Miss Abbott, vous ne

pouvez pas me demander de vous suivre dans ces virevoltes...

— Non ! Mais je vous demande de décider ce qui est bien et d'agir en conséquence. Voulez-vous que l'enfant reste avec son père, qui l'aime beaucoup et l'élèvera mal, ou voulez-vous le voir à Sawston, où personne ne l'aime, mais où on l'élèvera bien ? Voilà la question, assez froidement posée pour vous, je suppose. Choisissez votre réponse. Choisissez le parti pour lequel vous combattrez. Mais ne me parlez plus d'« échouer honorablement » : c'est renoncer à toute pensée et à toute action.

— Parce que je comprends votre point de vue et celui de signor Carella, ce n'est pas une raison pour que...

— Absolument. Combattez-nous comme si nous avions tort. A quoi bon votre équité si vous ne jugez jamais par vous-même ? N'importe qui vous persuade et vous fait faire ce qu'il désire. Vous lisez dans son jeu, vous vous moquez de lui, et vous faites ce qu'il désire. L'intelligence ne suffit pas. Je suis obtuse et bête ; je n'ai pas le quart de votre valeur, mais j'ai essayé de faire, jadis, ce qui me paraissait bien. Vous, vous avez une force d'esprit, une pénétration étonnantes. Mais quand vous avez vu ce qui est bien, vous êtes trop paresseux pour le faire. Vous m'avez dit un jour que nous serions jugés selon nos intentions, et non selon nos

actes. J'ai admiré cette parole. Mais notre intention doit être d'agir : il ne faut pas s'asseoir avec
ses intentions dans un fauteuil.

— Vous êtes étonnante ! dit-il gravement.

De nouveau, elle explosa :

— Oh, vous m'appréciez ! Je préférerais le contraire. Vous nous appréciez tous, vous voyez du
bien en chacun de nous. Et pourtant, vous ne
cessez pas d'être mort, mort, mort. Tenez, pourquoi n'êtes-vous pas en colère? (Elle s'approcha du
jeune homme et soudain, changeant de visage, lui
saisit les deux mains.) Vous avez tant de valeur,
Mr. Herriton, que je ne puis souffrir de vous voir
gaspillé ainsi. Je ne puis souffrir — elle n'a pas eu
de bonté pour vous — votre mère.

— Miss Abbott, ne vous chagrinez pas pour moi.
Certains êtres sont nés pour ne pas faire les choses.
J'en suis ; je n'ai jamais rien fait à l'école ou au
barreau. Je suis venu empêcher le mariage de
Lilia, trop tard. Je suis venu avec l'intention d'emporter l'enfant, et je retournerai après un « échec
honorable ». Comme je n'attends plus rien maintenant, je ne suis jamais déçu. Vous seriez étonnée
d'apprendre ce que sont les grands événements de
mon existence. Notre soirée au théâtre hier, notre
conversation aujourd'hui — je ne crois pas avoir
de rencontres plus grandes. Ma destinée semble
être de traverser le monde sans me heurter à lui,
ni l'émouvoir. Et franchement, je ne saurais vous

dire si c'est un bon ou un mauvais destin. Je ne
meurs pas, je ne tombe pas amoureux. Et pour
mourir ou tomber amoureux, les autres choisissent
l'instant où précisément, je ne suis pas là. Vous
avez vu juste ; la vie est pour moi un spectacle,
qui, grâce à Dieu, grâce à l'Italie, grâce à vous, est
devenu, aujourd'hui, plus beau et plus exaltant
que jamais.

D'un ton solennel, elle dit :

— Ah ! s'il pouvait vous arriver quelque chose,
mon cher ami, s'il pouvait vous arriver quelque
chose !

— Mais pourquoi donc? répliqua-t-il en souriant. Prouvez-moi que je ne suis pas satisfaisant
tel que je suis.

Elle sourit aussi, avec beaucoup de gravité. Elle
ne pouvait le prouver. La démonstration n'existait
pas. Leur entretien, tout merveilleux qu'il fût,
n'aboutissait à rien, et ils sortirent de l'église avec
les mêmes opinions et les mêmes desseins respectifs
qu'ils nourrissaient déjà en y entrant.

Harriet se montra grossière au déjeuner. Miss Abbott fut traitée de girouette et de poltronne en
plein visage. Acceptant les deux épithètes, (l'une
lui parut juste et l'autre assez plausible), elle évita,
dans ses réponses, la moindre trace de critique
railleuse. Harriet se sentit, au contraire, d'autant
plus critiquée et raillée que Miss Abbott était plus
calme. Sa violence s'exaspéra et Philippe put

craindre, un instant, qu'elle n'en vînt aux coups.

— Je vous en prie ! cria-t-il, en reprenant son ton d'autrefois. Il fait trop chaud pour des histoires de ce genre. Nous multiplions, depuis ce matin, les discours et les entretiens ; j'ai un autre entretien cet après-midi. Je demande expressément le silence. Que chaque dame se retire dans sa chambre avec un livre.

— Je me retire pour faire mes valises, dit Harriet. Aie la bonté, Philippe, de rappeler au signor Carella que le bébé doit être ici à huit heures et demie, ce soir.

— Certainement, Harriet. Je me ferai un plaisir de le lui rappeler.

— Et commande une voiture pour le train du soir.

— Pourriez-vous, ajouta Miss Abbott, en commander une aussi pour moi?

— Vous partez? s'écria-t-il.

— Naturellement, répliqua-t-elle avec une rougeur soudaine. Pourquoi pas?

— Mais oui ! Naturellement, vous devez vouloir partir. Deux voitures, donc. Deux voitures pour le train du soir. (Il jeta vers sa sœur un regard morne.) Harriet, où veux-tu en venir? Jamais nous ne serons prêts.

— Commande ma voiture pour le train du soir, dit Harriet et elle partit.

— Il faudra donc le faire, j'imagine. Comme il

faudra avoir mon entretien avec signor Carella.

Miss Abbott soupira.

— Que vous importe, à vous? reprit-il. Pensez-
vous que j'aurai la moindre influence sur lui?

— Non. Mais... Je ne puis vous répéter tout ce
que j'ai dit dans l'église. Vous ne devriez pas revoir cet homme. Vous devriez fourrer Harriet dans
une voiture et l'emmener dare-dare, non pas ce soir,
mais tout de suite.

— Je devrais, peut-être. Mais ce « devoir » me
semble de dimension réduite. Quoi que nous fas-
sions, Harriet et moi, la conclusion sera la même.
Je vois bien la splendeur, et même l'humour de
cette histoire. Je vois Gino assis, avec son ourson,
au sommet de la montagne. Nous montons le lui
demander. Il nous reçoit fort poliment. Nous rede-
mandons l'ourson. Gino demeure plein de charme.
Je veux bien marchander toute une semaine. Mais
je sais qu'à la fin, je redescendrai vers la plaine les
mains vides. Il serait plus noble, sans doute, de
prendre moi-même une décision. Mais je n'ai pas
l'âme noble. Et rien n'en dépend.

— Moi, je suis peut-être outrancière, dit-elle
avec humilité. J'ai voulu vous forcer la main à
mon tour, comme votre mère. Je sens que vous
devriez vous battre, vider la querelle avec Harriet. Je ne sais pourquoi le moindre incident,
aujourd'hui, me semble avoir des conséquences
incalculables ; lorsque vous dites : « Rien n'en dé-

pend », j'ai l'impression d'un blasphème. Nul ne peut savoir, comment dire? parmi nos actes ou nos refus d'agir, desquels vont éternellement dépendre d'autres choses.

Il approuva cette remarque, mais pour sa valeur esthétique. Son cœur n'était pas préparé à la recevoir. Philippe demeura en repos tout cet après-midi, tracassé plutôt qu'abattu. Cahin-caha, on sortirait de cette histoire. Miss Abbott avait probablement raison : mieux valait que l'enfant restât où on l'aimait. Ainsi en avaient probablement décidé les décrets du destin. Quel intérêt avait-il dans tout cela? Très peu. Et quelle influence? Aucune.

Rien d'étonnant, par suite, que l'entrevue du café Garibaldi ait échoué. Aucun des deux hommes ne la prit vraiment au sérieux. Gino ne fut pas long à découvrir le fond du sac et taquina furieusement son adversaire, qui, faisant d'abord l'offensé, fut, à la fin, forcé de rire.

— Soit, avoua-t-il, vous avez raison ; ce sont les dames qui mènent le jeu.

— Ah ! les dames… les dames ! cria l'autre, puis, sur un ton de millionnaire, il clama au garçon d'apporter deux cafés noirs et tint à les offrir à son ami, pour marquer la fin des hostilités.

— Ma foi, j'ai fait de mon mieux, dit Philippe, en plongeant dans sa tasse l'extrémité d'un long morceau de sucre et regardant monter le niveau brun. J'affronterai ma mère avec la conscience tranquille. Êtes-vous prêt à témoigner que j'ai fait de mon mieux?

— Bien sûr, mon pauvre ami ! dit Gino, en lui posant sur le genou une main pleine de sympathie.

— Et que j'ai... (Le morceau de sucre était maintenant gorgé de café et Philippe se pencha pour le porter à sa bouche. Ce faisant, il balaya du regard l'autre extrémité de la Piazza : Harriet était là, qui les regardait.) Mia sorella ! s'écria-t-il.

Gino, ravi, releva prestement la main et donna sur la table des coups de poing comiques. Harriet se détourna pour examiner d'un air morne le Palazzo Pubblico.

— Pauvre Harriet, dit Philippe, en gobant le sucre. Encore une secousse torturante et ce sera fini pour elle ; nous partons ce soir.

Gino fut navré de l'apprendre.

— Vous ne viendrez donc pas ici ce soir, comme vous nous l'avez promis? Vous partez tous les trois?

— Tous les trois, dit Philippe (qui avait caché la dissidence de Miss Abbott). Par le train du soir ; telle est du moins l'intention de ma sœur. Ainsi, je crains de n'être pas des vôtres.

Ils regardèrent s'éloigner la silhouette d'Harriet, puis entamèrent le dernier assaut de courtoisies, avec de chaleureuses poignées des deux mains. Philippe reviendrait l'année suivante. Il

écrirait auparavant. Il serait présenté à la femme de
Gino (qui pouvait maintenant annoncer son mariage). Il serait le parrain du prochain enfant.
Gino, de son côté, n'oublierait pas que Philippe
adorait le vermouth. Toute sa tendresse à Irma !
A Mrs. Herriton, devait-il prier Philippe de transmettre l'hommage de sa sympathie? Non, ce
n'était pas indiqué, peut-être.

Ainsi, les deux jeunes hommes se séparèrent, sincèrement amis, somme toute. Les barrières du lan-
gage ont-elles l'heureuse vertu de ne laisser passer
que le bon? Disons plutôt, moins cyniquement,
que notre bonne volonté s'affirme dans des mots
neufs et propres que nos vices et nos mesquineries
n'ont point encore touchés. Philippe, en tout cas,
vivait avec plus de grâce en usant de l'italien, dont
les tours mêmes invitent à une joie heureuse. Il
pensait avec horreur à l'anglais d'Harriet, dont
chaque mot allait être aussi dur, aussi distinct et
aussi brut qu'un morceau de charbon.

Mais Harriet parla peu. Elle en avait assez vu
pour comprendre que Philippe avait échoué ; avec
une dignité inaccoutumée, elle accepta la situation. Elle boucla ses valises, écrivit scn journal,
revêtit le Baedeker neuf d'une couverture de papier fort. Philippe, devant cette douceur, tenta de
discuter leur futur emploi du temps. Elle répondit
simplement qu'ils coucheraient à Florence et qu'il
fallait retenir des chambres par télégramme. Ils

dînèrent seuls. Miss Abbott ne descendit pas.
Signor Carella, dit la propriétaire, était venu saluer
Miss Abbott avant son départ : elle n'avait pu le
recevoir, bien qu'elle fût dans l'hôtel. Il commençait à pleuvoir, ajouta-t-elle. Harriet soupira, mais
avertit Philippe qu'à ses yeux, il n'en était pas
responsable.

Les voitures arrivèrent à huit heures et quart.
La pluie n'était pas forte, mais il faisait extraor-
dinairement sombre et l'un des voituriers exprima
le désir de rouler lentement jusqu'à la gare. Miss Abbott descendit et déclara qu'elle était prête : elle
pouvait partir sur-le-champ.

— C'est cela, dit Philippe, debout dans le hall.
Nous nous sommes déjà querellés : inutile de descendre en procession toute la côte. Au revoir donc ;
l'histoire est close. Dieu merci ; la scène de mon
grand spectacle change.

— Au revoir, j'ai eu grand plaisir à vous rencontrer. Cela du moins, ne changera pas, je l'espère.

Elle lui saisit la main.

— Voilà un ton bien mélancolique, dit-il en
riant. N'oubliez pas que vous revenez victorieuse.

— Il paraît, dit-elle, sur un ton plus mélancolique encore, puis elle monta dans la voiture.

Philippe en conclut qu'elle songeait à l'accueil de
Sawston, où sa conduite, sans nul doute, serait
connue avant son arrivée. Quelle attitude allait

adopter Mrs. Herriton? Elle pouvait rendre la vie
fort désagréable à quelqu'un quand elle le jugeait
bon. Peut-être jugerait-elle bon de se taire, mais
Harriet demeurait. Qui musellerait Harriet? Entre
ces deux femmes, Miss Abbott passerait sûrement
un mauvais quart d'heure. Elle allait perdre à tout
jamais sa réputation de logique et de ferveur morale.

— Elle n'a pas de chance, pensa-t-il. C'est une
bonne âme. Je dois faire pour elle tout ce que je
pourrai.

Leur amitié s'était nouée rapidement : lui aussi
espérait qu'elle ne changerait pas. Il croyait comprendre la jeune fille et lui avoir montré, de son
côté, le moins bon de lui-même. Qui sait si beaucoup plus tard... après tout... Il rougit comme un
adolescent en regardant filer sa voiture.

Philippe rentra dans la salle à manger à la recherche d'Harriet. La jeune fille fut introuvable.
Sa chambre aussi était vide. Il ne restait plus
d'Harriet que son livre de prières rouge, ouvert
sur le lit. Philippe le prit machinalement et lut :
« Béni soit le Seigneur mon Dieu, qui enseigne la
guerre à ma main et la lutte à mes doigts. » Philippe fourra le livre dans sa poche et se mit à
rêver sur des thèmes plus féconds.

Santa Deodata frappa la demie de huit heures.
Tous les bagages étaient chargés, mais Harriet
restait invisible.

— Vous pouvez me croire, dit la propriétaire, elle est allée chez le signor Carella dire au revoir à son petit neveu

Philippe jugea la chose peu probable. Ils appelèrent donc par toute la maison : point d'Harriet. Un certain malaise gagna le jeune homme. Sans Miss Abbott, il se sentait perdu ; le doux visage grave lui avait réjoui le cœur, même quand il marquait du déplaisir. Sans Miss Abbott, Monteriano était triste ; la pluie s'épaississait ; la porte des estaminets vomissait les débris désaccordés du Donizetti, et de la tour en face, Philippe ne pouvait plus voir que la base, aux affiches de charlatans fraîchement posées.

Un homme remonta la rue ; il apportait un billet à Philippe, qui lut « Pars immédiatement. Prends-moi au passage devant la porte de la ville. Paie le porteur. H. H. »

— La dame vous a-t-elle donné ce billet ? cria-t-il.

La réponse fut incompréhensible.

— Parlez plus fort ! s'exclama Philippe. Qui vous a donné ce billet, et où ?

L'homme n'émit que des gloussements entrecoupés de soupirs.

Le voiturier se tourna sur son siège :

— Ne le bousculez pas, dit-il. C'est le pauvre idiot.

La propriétaire apparut sur le seuil et fit écho :

— Oui, le pauvre idiot. Il ne sait pas parler. Il nous porte nos lettres.

Philippe vit alors le messager : un être horrible, parfaitement chauve, avec des yeux suintants et un nez gris qui remuait. Dans un autre pays, on l'eût enfermé ; ici, on lui faisait sa place dans les institutions sociales et les desseins de la Nature.

L'Anglais frissonna de dégoût.

— Signora padrona, faites-le s'expliquer ; ma sœur a écrit ce billet. Que signifie-t-il ? Où le lui a-t-elle donné ?

— Inutile, dit la propriétaire. Il comprend tout, mais ne peut rien expliquer.

— Il a de saintes visions, dit l'homme de la voiture.

— Mais ma sœur... où est-elle allée ? Où l'a-t-elle rencontré ?

— Elle est allée faire une promenade, affirma la propriétaire.

Il faisait un sale temps, mais elle commençait à connaître les Anglais.

— Elle est allée se promener et peut-être dire au revoir à son petit neveu. Comme elle a préféré revenir par un autre chemin, elle vous a envoyé ce mot par l'idiot et vous attend à la porte de Sienne. Mes pensionnaires le font souvent.

Rien à faire qu'obéir aux indications du message. Philippe serra la main de la propriétaire,

donna au messager une pièce de nickel et partit.
Après avoir roulé une dizaine de mètres, la voiture s'arrêta. Le pauvre idiot courait derrière en
geignant.

— Filez, dit le jeune homme. Je l'ai payé largement.

Une main horrible lui déposa trois sous sur les
genoux. L'idiot n'acceptait qu'un juste salaire :
cela faisait partie de son mal. Il rendait la monnaie
de la pièce de nickel.

— Filez ! cria Philippe en jetant les sous sur le
pavé.

Cet incident l'emplit de peur ; la vie entière
était devenue irréelle. Il éprouva un soulagement
à franchir la porte de Sienne. La voiture s'arrêta
un instant sur le belvédère. Aucune trace d'Harriet. Le voiturier fit appel aux douaniers : ils
n'avaient vu passer aucune dame anglaise.

— Que faire ? s'écria Philippe. Cette dame n'est
jamais en retard. Nous allons manquer le train.

— Marchons lentement, dit le conducteur, et
pendant que nous avançons, appelez-la.

Ils plongèrent donc dans la nuit, Philippe criant :
« Harriet ! Harriet ! Harriet ! » Et elle apparut, en
effet. Elle les attendait au premier tournant du
zigzag.

— Harriet, pourquoi ne répondais-tu pas ?

— Je vous entendais venir, dit-elle en sautant
dans la voiture.

Alors seulement, il vit qu'elle était chargée d'un paquet.

— Qu'est-ce donc?

— Chut !

— Mais qu'est-ce donc?

— Chut ! Il dort.

Là où Philippe et Miss Abbott avaient échoué, Harriet avait réussi. C'était l'enfant.

Elle ne laissa pas Philippe parler. Le bébé dormait, répéta-t-elle, et elle ouvrit un parapluie pour protéger elle-même et l'enfant. L'explication ainsi remise, Philippe dut se contenter d'imaginer une entrevue prodigieuse : le pôle Nord chez le pôle Sud. Imagination facile, d'ailleurs : Gino s'effondrant brusquement devant l'intense conviction d'Harriet, Gino écoutant la jeune fille le traiter de vilain, peut-être, en plein visage, Gino cédant son fils unique, pour de l'argent peut-être et peut-être pour rien. « Pauvre Gino, pensa Philippe. Pas plus grand que moi, somme toute. »

Puis il songea à Miss Abbott, dont la voiture, dans la nuit, dévalait sans doute un mille ou deux plus bas, et sa facile humilité tomba. Elle aussi possédait une conviction ; il en avait éprouvé la force ; il l'éprouverait de nouveau lorsqu'elle connaîtrait la conclusion sombre et inattendue de cette journée.

— Tu as bien caché ton jeu, dit-il, maintenant, tu pourrais me renseigner un peu. Combien nous coûte-t-il? Tout ce que nous possédons?

— Chut ! répondit Harriet.

Laborieusement, elle berçait l'enfant, pareille à quelque prophétesse osseuse : Judith, Déborah ou Jaël.

Philippe se souvint de l'enfant sur les genoux de Miss Abbott, gigotant, radieux et nu, avec derrière lui vingt milles d'étendue et, à ses pieds, son père agenouillé. Et cette image, surgissant après Harriet, l'ombre, le pauvre idiot et la pluie silencieuse, l'emplit à la fois de tristesse et d'appréhension devant des tristesses futures.

Monteriano avait disparu depuis longtemps et Philippe ne distinguait plus que de temps à autre, au passage, le tronc d'un olivier mouillé, illuminé par leur lanterne. On roulait vite, car ce cocher se souciait fort peu de descendre à la gare avec prudence et la voiture plongeait à chaque descente et prenait les tournants à une allure périlleuse.

— Écoute, Harriet, dit enfin Philippe, je suis mal à l'aise ; je veux voir l'enfant.

— Chut !

— Peu m'importe si je l'éveille. Je veux le voir. J'ai sur lui autant de droits que toi.

Harriet céda. Mais il faisait trop noir pour que Philippe pût distinguer le visage de l'enfant.

— Une seconde, murmura-t-il, et avant qu'elle pût l'en empêcher, il avait frotté une allumette à l'abri du parapluie. Mais il est éveillé ! cria-t-il.

L'allumette s'éteignit.

— Oui, voyez comme il est zentil, ce petit anze !

Philippe se crispa.

— Je lui ai vu un drôle de visage, sais-tu?

— Drôle?

— Criblé de taches bizarres.

— Naturellement… avec les ombres ! Tu n'as rien pu voir.

— Eh bien ! dresse-le encore une fois.

Elle obéit. Il frotta une autre allumette. Elle s'éteignit très vite, mais Philippe eut le temps de voir que le bébé pleurait.

— C'est stupide, dit Harriet aigrement. Nous l'entendrions s'il pleurait.

— Non, il pleure très fort ; je m'en doutais, j'en suis sûr maintenant.

Harriet toucha le visage de l'enfant. Il était baigné de larmes.

— Oh ! c'est l'air de la nuit, je pense, dit-elle, ou peut-être l'humidité.

— Dis donc, tu ne l'as pas blessé ou tenu maladroitement, que sais-je ; c'est vraiment sinistre, cette façon de pleurer sans bruit. Pourquoi n'as-tu pas emmené Perfetta pour le porter jusqu'à l'hôtel au lieu de m'envoyer ce messager absurde? Je me demande comment il a pu comprendre ton histoire de billet.

— Oh ! il comprend fort bien. (Philippe sentit
que sa sœur frissonnait.) Il a voulu porter l'enfant...

— Mais pourquoi pas Gino ou Perfetta?

— Philippe, tais-toi. Faut-il te le redire? Tais-
toi. Le bébé a besoin de dormir.

Elle se mit à chantonner d'une voix aigre. Ils
descendaient toujours. De temps à autre, elle es-
suyait les larmes qui coulaient, intarissables, des
petits yeux. Philippe avait détourné son regard,
lui-même battait des paupières, parfois. On eût
dit qu'avec cet enfant, ils emportaient toute la
tristesse du monde, tout le mystère et toute l'obs-
tination du malheur ruisselant d'une source unique.
Une couche de boue recouvrait maintenant les
routes et la voiture avançait plus silencieusement
mais aussi vite, glissant dans l'ombre au fil des
longs zigzags. Philippe connaissait bien les points
de repère : le croisement de la route de Poggibonsi,
puis le point d'où, s'il faisait jour, on apercevrait
une dernière fois Monteriano. Bientôt, ils attein-
draíent le petit bois, où fleurissaient tant de
violettes, au printemps. Dommage que le temps
eût ainsi changé ; il ne faisait pas froid, mais
très humide. C'était mauvais pour l'enfant, à
coup sûr.

— Tu crois qu'il respire? Que tout va? dit-il.

— Naturellement, dit Harriet sur un ton furieux. Le voilà qui recommence, par ta faute. Je

suis sûre qu'il dormait. Tais-toi, de grâce ; j'ai les
nerfs en pelote.

— Moi aussi. Pourquoi ne crie-t-il pas? C'est
trop étrange. Pauvre Gino ! Je suis affreusement
triste pour Gino.

— Vraiment?

— Parce qu'il est faible comme la plupart
d'entre nous. Il ne sait pas ce qu'il veut. Il ne s'ac-
croche pas à la vie. Mais il me plaît et je me sens
triste pour lui.

Harriet se tut : on ne pouvait s'en étonner.

— Tu le méprises, Harriet, et tu me méprises.
Tu ne nous rends pas meilleurs pour cela. Nous
autres, pauvres hommes stupides, avons besoin
d'un soutien. Si Gino avait eu une vraie femme
pour le soutenir (et Caroline Abbott l'eût fait, je
pense), n'aurait-il pu devenir un autre homme?

— Philippe, dit-elle avec une nonchalance af-
fectée, as-tu encore une allumette sous la main?
Nous pourrions, dans ce cas, regarder l'enfant une
fois de plus.

La première allumette rata. La seconde aussi.
Philippe suggéra de faire arrêter la voiture et d'en
emprunter la lanterne.

— C'est beaucoup d'embarras. Essaie encore.

Ils entraient dans le petit bois lorsqu'il frotta la
troisième allumette, elle prit enfin. Harriet assura
l'équilibre de son parapluie et pendant un bon
quart de minute, ils contemplèrent le tremblant

visage à la lumière de la flamme tremblante. Cri
soudain, choc, fracas — ils gisaient dans la boue et
l'ombre — la voiture avait versé.

Philippe était assez mal en point. Il s'assit et se
balança en tenant son bras. Il pouvait à peine
distinguer au-dessus de lui les contours du véhicule et, sur la route grise, ceux des coussins et des
bagages. L'accident avait eu lieu en plein bois où
il faisait plus sombre encore qu'à découvert.

— Ça va ? parvint-il à dire.

Harriet hurlait, le cheval ruait, le cocher cou-
vrait de malédictions un autre homme.

Les hurlements d'Harriet prirent forme :

— Le bébé... le bébé... il a glissé... il est...
tombé de mes bras ! Je l'ai volé !

— Dieu de pitié ! dit Philippe.

Un anneau de glace entoura sa bouche et il
s'évanouit.

Quand il revint à lui, le même chaos régnait encore. Le cheval ruait, le bébé n'était pas retrouvé
et Harriet hurlait toujours comme une folle.

— Je l'ai volé ! Je l'ai volé ! Je l'ai volé ! Il m'a
glissé des bras !

— Ne bougez pas ! ordonna Philippe au voiturier. Que personne ne remue. Nous pourrions
marcher sur lui. Ne bougez pas !

Pendant un instant, tous lui obéirent. Il rampa
dans la boue, tâtant d'ici, de là, empoignant, hélas !
les coussins, l'ouïe tendue avec l'espoir du plus

faible murmure qui eût pu le guider. La boîte
entre les dents, avec la main qui n'était pas blessée,
il tenta de frotter une allumette. Enfin, il réussit
et la lueur tomba sur le paquet qu'il cherchait.

Il avait roulé de la voiture jusqu'à l'orée du bois,
pour tomber en travers d'une ornière profonde. Il
était si petit que, dans l'autre sens, il eût disparu dans l'ornière et fût resté, peut-être, introuvable.

— Je l'ai volé ! Moi et l'idiot... il n'y avait personne !

Elle éclata de rire.

Philippe s'assit et posa le paquet sur ses genoux.
Puis il essaya de nettoyer le petit visage de la boue,
de la pluie et des larmes qui le couvraient. Philippe, apparemment, s'était cassé le bras ; mais il
pouvait le remuer encore un peu et, pour l'instant,
oublia toute douleur. Il écoutait, dans l'attente
non pas d'un cri, mais d'un battement de cœur
ou du plus léger tremblement d'haleine.

— Où êtes-vous? cria une voix.

C'était Miss Abbott. La collision avait eu lieu
avec sa voiture. Elle avait rallumé une des lan-
ternes et se frayait un chemin vers lui.

— Silence ! cria-t-il de nouveau et, de nouveau,
ils obéirent.

Il secoua le paquet, souffla sur lui, ouvrit sa
veste et le serra contre sa poitrine. Puis il écouta
et n'entendit rien que la pluie, les chevaux hale-

tants et Harriet, qui, quelque part dans l'ombre, riait toute seule.

Miss Abbott s'avança et prit doucement le paquet. Le visage était déjà froid ; grâce à Philippe, il n'était plus mouillé ; aucune larme ne le mouillerait plus.

CHAPITRE IX

On ne connut jamais les détails du crime d'Harriet. Dans son délire, elle parla davantage du coffret marqueté qu'elle avait prêté à Lilia, prêté, pas donné, que des événements récents. Il apparut clairement qu'elle était partie dans l'intention d'avoir, avec Gino, une entrevue ; ne le trouvant pas, elle avait cédé à une tentation grotesque. Dans quelle mesure, cependant, avait-elle obéi à la colère? Jusqu'à quel point s'était-elle cru soutenue par son sentiment religieux? Où et quand avait-elle rencontré l'idiot? Autant de questions sans réponse. Philippe ne leur portait d'ailleurs qu'un intérêt médiocre. L'enquête eût certainement abouti : la police les eût arrêtés à Florence, à Milan ou à la frontière. En fait, leur fuite venait d'être interrompue plus simplement, à quelques milles de la ville.

Philippe ne pouvait pas encore voir l'événement dans son ensemble. Il était trop grand. Autour du bébé italien, mort dans la boue, s'étaient centrées des passions profondes et de hauts es-

poirs. Le drame avait révélé la méchanceté des
uns, les erreurs des autres. « Moi seul, pensait Philippe, me suis montré banal. » Le bébé disparu, ce
qu'il avait suscité demeurait, vaste appareil d'orgueil, de pitié et d'amour. Car les morts, qui paraissent tant emporter, en vérité n'emportent rien
de nous. La passion qu'ils ont fait naître leur sur-
vit, aisément transformable ou transportable, mais
presque impossible à détruire. Et Philippe savait
qu'il voguait encore sur la même splendide et périlleuse mer, entre houle et soleil ou ciel d'orage.

La route, pour l'instant, ne lui parut pas dou-
teuse. Lui, et lui seul, devait porter la nouvelle à
Gino. Parler du crime d'Harriet, blâmer la négligence de Perfetta ou l'attitude de Mrs. Herriton
était facile. Chacun avait sa part dans l'événement, même Miss Abbott, même Irma. On pouvait regarder la catastrophe comme un accident
complexe ou comme l'œuvre du destin. Philippe
s'y refusa. La faute était sienne ; elle avait pour
cause une faiblesse de caractère qu'il reconnaissait
pleinement. C'était donc lui, et lui seul, qui devait
porter la nouvelle à Gino.

Rien ne s'y opposa. Miss Abbott s'occupait
d'Harriet. Des gens, sortis de l'ombre, les emme-
naient vers une ferme voisine. Il suffit à Philippe
de monter dans la voiture intacte et de donner au
conducteur l'ordre du retour. Il se retrouva dans
Monteriano après deux heures d'absence. Per-

fetta, rentrée maintenant, l'accueillit avec allégresse. La douleur physique et morale avait stu-
péfié Philippe. Il mit quelque temps à comprendre
qu'elle n'avait pas remarqué l'absence de l'enfant.

Gino n'était pas encore revenu. Comme pour
Miss Abbott le matin même, elle conduisit Philippe au salon et fit un rond dans la poussière d'un
fauteuil de crin. Mais comme il faisait sombre
maintenant, elle laissa au visiteur une petite
lampe.

— Je cours, dit-elle. Mais il y a beaucoup de
rues dans Monteriano ; on le trouve parfois diffi-
cilement. Je n'ai pu le trouver, ce matin.

— Allez d'abord au café Garibaldi, dit Philippe.

L'heure, il s'en souvenait, était celle du rendez-
vous fixé par ses amis, la veille, au théâtre.

Il occupa son temps de solitude non pas à ré-
fléchir (toute réflexion était inutile et la relation
de deux ou trois faits suffirait) mais à confec-
tionner une écharpe pour son bras cassé. Le mal
était dans l'articulation du coude ; à condition de
la maintenir immobile, tout allait comme à l'ordinaire. Mais l'inflammation s'amorçait et la
moindre secousse provoquait une atroce douleur.
L'écharpe n'était pas encore au point lorsque
Gino bondit sur le palier en criant :

— Ainsi, vous voilà de retour ! Quelle joie !
Nous attendons tous...

L'épreuve avait été trop dure pour laisser à Philippe quelque agitation. A voix égale et basse, il dit ce qui s'était passé ; l'autre, non moins calme, l'écouta jusqu'au bout. Dans le silence, Perfetta cria : elle avait oublié le lait pour l'enfant, elle allait le chercher. Quand elle fut partie, Gino, sans un mot, prit la lampe et les deux hommes passèrent dans la pièce voisine.

— Ma sœur est souffrante, dit Philippe, et Miss Abbott n'est coupable de rien. Je serais heureux si vous pouviez les laisser en repos.

Gino s'était accroupi cependant et tâtait l'endroit où son fils avait dormi. De temps à autre, son front se creusait et il jetait un regard vers Philippe.

— C'est ma faute, poursuivit Philippe. Ma lâcheté et ma paresse ont tout causé. Je suis venu voir ce que vous voulez faire.

Gino avait abandonné le tapis, il promenait maintenant ses mains sur la table, en partant du bord et à petits coups, comme un aveugle. C'était un geste si étrange que Philippe fut contraint de parler.

— Doucement, mon vieux, doucement ; il n'est pas là.

Il fit un pas et toucha Gino à l'épaule.

L'autre s'écarta vivement et fit errer ses mains plus vite sur les objets environnants, sur la table, puis sur les chaises, sur le parquet entier, sur les

murs aussi haut qu'il pouvait atteindre. Philippe
n'avait jamais nourri l'espoir de le consoler. Mais
l'angoisse était maintenant trop grande : il essaya.

— Laisse-toi aller, Gino ; il faut te laisser aller.
Pleure, jure, détends-toi un peu ; il faut te laisser
aller.

Aucune réponse de l'homme, aucune interrup-
tion dans le vol rapide des mains.

— Il est temps d'être malheureux. Laisse-toi
aller, ou tu tomberas malade comme ma sœur.
Tu deviendras...

Le tour de la pièce était achevé. Gino y avait
tout tâté, sauf Philippe. Il approcha. Son visage
était celui d'un homme qui a perdu sa raison de
vivre et en recherche une nouvelle.

— Gino !

Il s'arrêta, puis se rapprocha encore. Philippe
ne recula pas.

— Fais de moi ce qu'il te plaît, Gino. Ton fils
est mort, Gino. Il est mort dans mes bras, sou-
viens-t'en. Ce n'est pas une excuse, mais c'est vrai
qu'il est mort dans mes bras.

La main gauche s'éleva, avec lenteur cette fois.
Elle plana en hésitant devant Philippe, comme un
insecte. Puis elle s'abattit, agrippant le coude
brisé.

Philippe frappa de toute la force de son autre
bras. Sous le coup, Gino s'écroula, sans un cri et
sans dire un mot.

— Brute ! cria l'Anglais. Tue-moi, s'il te plaît !
Mais ne touche pas ma fracture !

Puis, saisi de remords, il s'agenouilla auprès de
son adversaire et tenta de le ranimer. Il parvint
à le soulever. L'appuyant contre soi, il lui passa
le bras valide autour du corps. De nouveau, la tendresse et la pitié l'emplirent. Sans crainte, il attendit que Gino reprît ses sens, sûr maintenant
que tous deux étaient saufs.

Gino revint brusquement à lui. Ses lèvres re-
muèrent. Un bref instant de joie, on put croire
qu'il allait parler. Mais, en silence, il se remit à
quatre pattes, à nouveau conscient de tout, et
marcha cette fois non vers Philippe mais vers la
lampe.

— Fais ce qu'il te plaît ; mais souviens-toi
d'abord...

La lampe vola à travers la pièce, franchissant
le balcon de la loggia, elle alla s'écraser sur un
arbre au-dessous. Philippe, dans la nuit, se mit à
crier.

Gino s'approcha de lui par derrière et le pinça
violemment. Philippe tournoya en hurlant. Il
n'avait été que pincé dans le dos mais savait ce qui
l'attendait. Il allongea des coups, suppliant le démon de se battre, de le tuer, de lui infliger tout
sauf cela. Puis il trébucha vers la porte. Elle était
ouverte. Il perdit la tête et, au lieu de descendre
l'escalier, traversa le palier et courut dans la pièce

en face. Là, il se coucha entre le poêle et la plinthe.

La peur avait aiguisé ses sens. Il entendit Gino entrer sur la pointe des pieds. Il sut même ce qui se passait dans son esprit : le voici décontenancé, puis plein d'espoir, puis inquiet à l'idée qu'après tout la victime s'était peut-être échappée par l'escalier. Philippe perçut, au-dessus de lui, une plongée rapide, puis le grondement bas comme celui d'un chien. Gino s'était cassé les ongles sur le poêle.

La douleur physique est presque insupportable. Nous la souffrons tout juste quand un accident en est cause ou quand on nous l'inflige pour notre bien, comme c'est le cas le plus fréquent dans la vie moderne, l'école exceptée. Mais lorsqu'elle provient de la méchanceté d'un homme, d'un adulte, fait comme nous-même, toute notre maîtrise disparaît. Philippe n'eut plus qu'une pensée : sortir de cette pièce, au prix de n'importe quel sacrifice de dignité ou d'amour-propre.

Gino, à l'autre bout du salon, maintenant, tâtonnait près des guéridons. L'instinct, soudain, le renseigna. Il rampa précipitamment dans la direction de Philippe et l'empoigna aussitôt par le coude.

Le bras entier fut comme porté à l'incandescence, l'os brisé crissa dans l'articulation, projetant des fulgurations de douleur pure. Philippe avait son autre bras coincé contre le mur et Gino, en piétinant, s'était agenouillé sur ses jambes, derrière le poêle. Pendant une minute, Philippe hurla, hurla de toute la force de ses poumons. Puis ce soulagement même lui fut refusé. L'autre main, moite et forte, se refermait lentement sur sa gorge.

Philippe s'en réjouit d'abord : enfin la mort, pensa-t-il. Mais il ne s'agissait que d'une nouvelle torture : de ses ancêtres les ruffians, si prompts à se précipiter des tours les uns les autres, Gino tenait probablement son savoir-faire. A l'instant même où la trachée se fermait, la main se desserrait et Philippe était ranimé par une secousse à son bras. Par contre, à la seconde où il allait s'évanouir et gagner enfin un répit d'inconscience, le mouvement du bras cessait et Philippe, à nouveau, se débattait contre la pression sur sa gorge.

D'hallucinants tableaux se mêlèrent à ces souffrances : Lilia morte quelques mois plus tôt dans cette maison même, Miss Abbott penchée sur le bébé ; la mère de Philippe, à la maison, en train de lire, à cet instant, les prières du soir devant les domestiques. Philippe sentit qu'il s'affaiblissait ; le délire gagnait son cerveau ; la souffrance paraissait moins forte. Toute la minutie de Gino ne pouvait surseoir indéfiniment à la fin. Hurlements et râles devenaient automatiques, simples fonctions de la chair torturée plutôt que cris d'indignation et de désespoir. Philippe eut conscience d'un horrible éboulement, puis son bras fut tiré un peu trop fort et la paix, enfin, s'établit.

— Mais votre fils est mort, Gino. Votre fils est mort, mon cher Gino. Votre fils est mort.

La pièce était inondée de lumière ; Miss Abbott, prenant Gino par les épaules, le maintenait assis dans un fauteuil. Elle était épuisée par la lutte et ses bras tremblaient.

— A quoi bon une autre mort ? A quoi bon de nouvelles souffrances ?

Gino aussi se mit à trembler. Puis il tourna la tête et regarda curieusement Philippe, dont le visage, couvert de poussière et d'écume, apparaissait au pied du poêle. Il voulut se lever et la jeune fille le lui permit, sans relâcher pourtant son étreinte. Il poussa un grand cri, un cri étrange, d'interrogation, sembla-t-il. On entendit, en bas, Perfetta, qui rentrait avec le lait de l'enfant.

— Allez, dit Miss Abbott, en montrant Philippe. Relevez-le. Traitez-le avec douceur.

Elle lâcha Gino, qui lentement s'approcha de Philippe. Les yeux de l'Italien s'emplirent de chagrin. Il se pencha, comme pour le soulever avec précaution.

— Au secours ! Au secours ! gémit Philippe.

Son corps avait trop souffert des mains de Gino. Il ne pouvait supporter leur contact.

Gino parut comprendre. Il s'arrêta, accroupi au-dessus de lui. Miss Abbott s'avança et elle-même souleva son ami dans ses bras.

— Oh ! l'immonde brute ! murmura-t-il. Tuez-le ! Tuez-le pour moi !

Miss Abbott, tendrement, l'allongea sur le canapé et lui essuya le visage. Puis elle dit gravement aux deux hommes :

— La chose finit ici.

— *Latte! Latte!* cria Perfetta, en montant l'escalier avec de grands rires.

— Souvenez-vous, poursuivit Miss Abbott, qu'il ne doit pas y avoir de vengeance. Je ne veux plus de mal volontaire. Nous ne devons plus nous battre.

— Je ne lui pardonnerai jamais, soupira Philippe.

— *Latte! Latte freschissimo! bianco come neve!*

Perfetta entra avec une autre lampe et un petit pot.

Pour la première fois, Gino parla :

— Pose le lait sur cette table, dit-il. On n'en aura pas besoin dans l'autre pièce.

Le péril était enfin conjuré. Un grand sanglot secoua tout le corps de Gino. Un autre le suivit. Puis l'homme poussa un cri aigu de souffrance et, trébuchant vers Miss Abbott comme un enfant, il s'accrocha à elle.

Tout au long de cette journée, Philippe, en Miss Abbott, avait cru voir une déesse. Son impression s'accrut encore à cet instant. La douleur rend, en général, les hommes enfantins et nous les fait apparaître plus proches. Quelques-uns seulement mûrissent et s'éloignent. Que la figure féminine et l'homme qui posait la tête sur son sein fussent d'âge voisin et de même nature, Philippe ne pouvait l'admettre. Les yeux de la déesse, grands ouverts, pleins de noblesse et d'infinie pitié, discernaient sûrement les frontières de la souffrance et, au-delà, d'inimaginables espaces. Philippe avait vu de tels yeux dans des tableaux de maîtres, mais jamais chez une mortelle. La jeune fille avait reployé ses mains autour de l'homme qui souffrait et le caressait doucement, car même une déesse ne saurait faire davantage. Il parut normal que, baissant la tête, elle lui effleurât le front des lèvres.

Philippe détourna son regard, comme il le détournait parfois de grands tableaux, où il arrive que les formes visibles nous paraissent soudain inadéquates pour tout ce qu'elles nous ont déjà révélé. Il était heureux ; sûr que la grandeur existe en ce monde. Un désir sérieux lui vint d'être bon désormais, à l'exemple de cette femme. Il allait s'efforcer d'être digne des révélations qu'il avait reçues d'elle. Silencieusement, sans oraisons grandiloquentes ni roulement de tambour, il venait de se convertir. Il était sauvé.

— Mais il ne faut pas gaspiller ce lait, dit-elle. Prenez-le, signor Carella, et persuadez Mr. Herriton d'en boire.

Gino obéit et apporta le lait de l'enfant à Philippe. Philippe obéit à son tour et but.

— En reste-t-il?

— Un peu, répondit Gino.

— Eh bien ! finissez-le.

Car elle était résolue à faire usage de ce qui restait encore dans la vie.

— En voulez-vous?

— Je n'aime pas beaucoup le lait. Achevez-le.

— Philippe, avez-vous bu assez de lait?

— Oui, merci, Gino ; achevez-le.

Il but le lait, puis, par l'effet d'un accident ou de
quelque contraction douloureuse, brisa le pot. Perfetta poussa un cri de stupéfaction.

— Peu importe, lui dit Gino. Peu importe. On
n'en aura jamais plus besoin.

CHAPITRE X

— Il devra l'épouser, dit Philippe. J'ai reçu une lettre de lui ce matin, juste avant de quitter Milan. A son avis, il est trop engagé. Se dégager coûterait trop cher. Je ne sais à quel point la chose lui est pénible, moins, sans doute, que nous ne croyons. En tout cas, sa lettre ne contient pas un mot de blâme. Je ne pense même pas qu'il soit en colère. Nul ne m'a jamais si totalement pardonné. Il me tuait ; dès l'instant où vous l'avez arrêté, il n'a plus offert que l'image d'une amitié parfaite. Il m'a soigné, il a menti pour moi à la police ; il pleurait à l'enterrement, mais on eût dit que c'était sur mon fils. J'étais certainement le seul être à qui il pût montrer quelque bonté ; il était navré de ne pas rencontrer Harriet et de vous avoir vue si peu. Il le répète dans sa lettre.

— Remerciez-le, je vous prie, dans votre réponse, dit Miss Abbott, et exprimez-lui toute ma sympathie.

— Je n'y manquerai pas.

Philippe s'étonna qu'elle pût si aisément s'éloigner de cet homme. Lui-même se sentait retenu par des liens d'une intimité presque inquiétante. Gino, dans l'art de l'amitié, avait le tour de main des hommes du Sud. A temps perdu, il avait confessé Philippe, extrait, retourné, retouché son âme, avec un bon conseil sur la façon de s'en servir. Opération agréable, en somme, l'opérateur étant aussi bienveillant qu'habile. Pourtant Philippe était parti avec le sentiment de n'avoir plus un seul coin secret dans l'esprit. Gino, dans cette même lettre, le suppliait à nouveau d'échapper à sa famille en « épousant Miss Abbott, même si sa dot était faible ». Que la jeune fille, après un tel drame, pût revenir tout simplement aux conventions et adresser à l'Italien un calme message d'estime, voilà qui dépassait Philippe.

— Quand le reverrez-vous? demanda-t-elle.

Ils étaient debout, côte à côte, dans le couloir du train, qui, lentement, grimpait vers la frontière et le tunnel du Saint-Gothard.

— Au printemps prochain, j'espère. Peut-être irons-nous faire à Sienne une noce à tout casser pendant un jour ou deux avec l'argent de la nouvelle femme. C'est un des arguments de Gino en faveur du mariage.

— Il n'a pas de cœur, dit sévèrement Miss Abbott. Il ne pense plus du tout à l'enfant.

— Vous vous trompez. Il y pense. Il a du

chagrin, comme nous. Mais il n'essaie pas, comme nous, de garder les apparences. Il sait que, selon toutes probabilités, ce qui lui donna hier du bonheur lui en redonnera demain.

— Il a dit : jamais plus je n'aurai de bonheur.

— Oui, quand il était hors de lui. Il ne l'a plus dit de sang-froid. Nous autres Anglais disons cela de sang-froid, alors que nous n'y croyons plus. Gino n'a pas honte de se contredire. C'est une des nombreuses raisons que j'ai de l'aimer.

— En effet, je me trompais.

— Il est honnête avec lui-même, poursuivit Philippe, il l'est plus que moi, sans effort et sans orgueil. Mais vous, Miss Abbott, qu'allez-vous devenir? Serez-vous en Italie, ce printemps?

— Non.

— Dommage. Quand pensez-vous revenir?

— Je pense ne jamais revenir.

— Mais pourquoi donc?

Il la considéra fixement comme il eût fait un monstre.

— Parce que je comprends ce pays. Le voyage est inutile.

— Vous comprenez l'Italie! s'exclama-t-il.

— Parfaitement.

— Moi, non. Et je ne vous comprends pas vous-même, murmura-t-il en s'éloignant de quelques pas dans le couloir.

Il aimait maintenant la jeune fille, d'un amour

profond qui supportait mal les énigmes. Philippe
était parvenu à ce carrefour par une voie spirituelle. Les pensées, la bonté, la noblesse de Miss Abbott l'avaient ému d'abord ; elles transfiguraient
aujourd'hui totalement le corps et les gestes de la
jeune fille. C'est en dernier lieu qu'il avait remarqué en elle ces beautés qu'on dit évidentes :
la beauté de sa chevelure, de sa voix, de ses
formes. Gino, qui ignorait les carrefours, lui avait
fait, par contre, de ces charmes, un éloge tout
objectif.

Pourquoi Miss Abbott apparaissait-elle si énig-
matique? Philippe la trouvait jadis transparente,
connaissait ses pensées, ses sentiments et les motifs de ses actions. Soudain, il ne savait plus d'elle
qu'une chose, qu'il l'aimait, et sa science semblait
s'être évanouie à l'instant même où il en aurait eu
le plus besoin. Pourquoi renonçait-elle à l'Italie?
Pourquoi les avait-elle fuis, Gino et lui-même, depuis le soir où elle leur avait sauvé la vie? Le train
était presque vide. Harriet sommeillait, seule dans
un compartiment. Philippe jugea qu'il devait poser
ces questions tout de suite et, en toute hâte, revint
sur ses pas dans le couloir.

La jeune fille l'accueillit elle-même par une
question :

— Avez-vous arrêté vos projets?
— Oui. Je ne puis vivre à Sawston.
— L'avez-vous dit à Mrs. Herriton?

— Je le lui ai écrit de Monteriano ; j'ai tâché
d'expliquer mon attitude ; mais elle ne comprendra jamais. Elle jugera l'affaire réglée. Tristement
réglée, sans doute, puisque le bébé est mort. Mais
enfin une solution est intervenue et notre clan
familial n'a plus rien à craindre. Elle n'aura même
aucun ressentiment contre vous. Somme toute,
quel mal nous avez-vous causé ? A moins, naturellement, que vous ne fassiez un scandale à propos
d'Harriet. Voilà donc mes projets : Londres et
mon travail. Quels sont les vôtres ?

— Pauvre Harriet ! dit Miss Abbott. Comment
oserais-je juger Harriet ! Ou tout autre !

Et sans répondre à la question de Philippe, elle
le quitta pour s'occuper de son autre malade.

Philippe, lugubrement, la suivit du regard puis
se tourna vers la fenêtre et, lugubrement, regarda
décroître les cours d'eau. L'enquête, la brève maladie d'Harriet, sa propre visite chez le chirurgien, tous ces moments d'excitation étaient passés.
Il se sentait convalescent, de corps et d'âme, mais
la convalescence ne lui apportait pas de joie. Dans
la glace au bout du couloir, il aperçut son visage
hagard et ses épaules que courbait le poids de
l'écharpe. La vie était plus grande qu'il ne l'avait
cru, mais moins complète encore. Il avait vu la
nécessité d'un travail et d'une vertu énergiques.
Il voyait maintenant que tout cela ne le mènerait
pas bien loin.

— Croyez-vous Harriet hors d'affaire? demanda-t-il.

Miss Abbott était de nouveau près de lui.

— Elle sera bientôt comme autrefois, répondit la jeune fille.

Car Harriet, après une brève crise de maladie et de remords, reprenait rapidement son état normal. Elle avait subi « un choc sérieux », selon ses propres termes, mais que le malheur dépassât la mort d'un pauvre petit être, voilà ce qu'elle avait bientôt cessé de comprendre. Déjà elle parlait de « l'accident fatal » et de « notre mystérieuse impuissance à rendre les choses meilleures ». Miss Abbott l'avait tendrement embrassée, après s'être assurée de son confort. Mais elle revenait de l'entretien avec l'impression nette qu'Harriet, comme sa mère, jugeait, désormais, l'affaire réglée.

— J'imagine assez bien l'avenir d'Harriet et le mien, au moins en partie. Mais vous, je le répète?

— Sawston et mon travail, dit Miss Abbott.

— Non.

— Pourquoi pas? demanda-t-elle en souriant.

— Vous avez vu trop de choses, autant que moi ; vous en avez fait davantage.

— Mon cas est différent. Je vais vivre à Sawston, bien sûr. Vous oubliez mon père ; et même s'il n'était pas là, de nombreux liens m'y retiendraient : mes visites de paroisse (que je néglige honteusement), mes cours du soir, le service de...

— Non, c'est trop bête ! cria-t-il. (Il explosait, soudain poussé par le désir d'une explication totale avec elle.) Vous avez trop de valeur, mille fois plus de valeur que moi. Vous ne pouvez pas rester dans ce trou ; vous devez aller vivre parmi des hommes ayant au moins une chance de vous comprendre. C'est important pour moi : j'ai besoin de vous voir souvent, très souvent.

— Nous nous rencontrerons, naturellement, lorsque vous viendrez à Sawston, c'est-à-dire souvent, j'espère.

— Ce n'est pas suffisant ; d'ailleurs recommencer les horribles visites d'autrefois, chacun de nous flanqué d'une douzaine de parents... Non, Miss Abbott, cela ne me suffit pas.

— En tout cas, nous pouvons écrire.

— Vous m'écrirez? s'écria-t-il, soudain rouge de plaisir.

Ses espoirs, quelquefois, semblaient presque réalisés.

— Bien sûr.

— Mais ce n'est pas suffisant. Vous ne pourriez revenir à la vie d'autrefois, même si vous le désiriez. Il s'est passé trop de choses.

— Je sais, dit-elle tristement.

— Je ne parle pas seulement de la souffrance et du chagrin ; il y a eu aussi des choses merveilleuses : cette tour dans le soleil, vous en souvenez-

vous? Et tout ce que vous m'avez dit alors?
Même le théâtre. Et notre entretien dans l'église,
le jour suivant, et nos rencontres avec Gino.

— Tout le merveilleux est passé, dit-elle. Voilà
exactement où nous en sommes.

— Je ne le crois pas. Pour ma part, du moins.
Le plus merveilleux peut venir encore.

— Non, tout le merveilleux est passé, reprit-
elle avec un regard si triste qu'il n'osa pas la contredire.

Le train, péniblement, grimpait une dernière
rampe, avant le campanile d'Airolo et l'entrée du
tunnel.

— Miss Abbott, murmura-t-il très vite (comme
si leur entretien devait être bientôt rompu), que se
passe-t-il? Je croyais vous comprendre et il n'en
est rien. Ces grands deux premiers jours à Monteriano, j'ai lu en vous aussi clairement que vous
lisez encore en moi. J'ai vu pourquoi vous étiez
venue et pourquoi vous changiez de camp; j'ai
admiré ensuite votre courage et votre pitié. Et
maintenant, si vous êtes parfois franche avec moi
comme jadis, l'instant d'après vous me réduisez
au silence. Je vous dois trop, voyez-vous. La vie, et
je ne sais quoi d'autre. Je ne le supporterai pas.
Vous êtes allée trop loin pour vous renfermer dans
le mystère. Je vous rappellerai votre propre parole : « Pas de mystère ; nous n'en avons pas le
temps. » Une autre encore, de vos paroles : « Ma vie

devons être où je vis. » Vous ne pouvez
e à Sawston.

Il avait réussi enfin à émouvoir la jeune fille.
Très vite, elle murmura pour elle-même : « Oui,
c'est tentant... » Ces trois mots jetèrent Philippe
dans une joie tumultueuse. Qu'est-ce qui la tentait?
Le plus grand des événements était-il, après tout,
possible? Après une longue aliénation et une
atroce tragédie, le Sud les rapprochait-il enfin?
Oui, cette gaieté au théâtre, ces étoiles d'argent
dans un ciel mauve, jusqu'aux violettes d'un printemps disparu, tout cela les avait poussés l'un vers
l'autre, ainsi que leur commun chagrin et leur tendresse pitoyable.

— Pas de mystère, reprit-elle, c'est tentant.
J'ai souvent désiré me confier à vous. Je n'ai pas
osé. Je ne pourrais le faire avec nul autre, sûrement
pas avec une femme ; vous seul, je pense me com-
prendriez sans dégoût.

— Solitaire? murmura-t-il. Est-ce quelque chose
de ce genre?

— Oui... (Philippe eut l'impression que le train
le précipitait vers elle. Il était résolu à la prendre
dans ses bras, malgré une bonne douzaine de spectateurs.) Terriblement solitaire... sans quoi, je me
tairais. Vous avez déjà deviné, sans doute.

Leurs deux visages s'étaient empourprés, comme
sous l'effet d'une pensée unique.

— Peut-être, reprit-il en se rapprochant. Je

pourrais parler peut-être, à votre place.
vous dites le mot vous-même franchement,
ne le regretterez pas ; je vous en serai reconnai
sant toute ma vie.

Elle dit franchement :

— Vous avez deviné, sans doute… que je l'aime.

Puis son courage l'abandonna. Elle fondit en
larmes, le corps secoué de sanglots, et pour ne
laisser aucun doute, elle entrecoupa ses sanglots
de cris : Gino ! Gino ! Gino !

Philippe s'entendit prononcer :

— Parbleu ! Moi aussi, je l'aime ! Quand je puis
oublier le mal qu'il m'a fait ce soir-là. Car chaque
fois que nous nous serrons la main…

L'un d'entre eux dut faire un pas en arrière, car
lorsque Miss Abbott reprit la parole, ils étaient de
nouveau assez loin l'un de l'autre.

— C'est vous qui m'avez démontée. (Elle étouffait une émotion dangereusement proche de la
crise de nerfs.) Je croyais en avoir fini avec tout
cela. Mais vous vous méprenez. Je suis amoureuse
de Gino — n'y voyez pas une plaisanterie — j'en
suis amoureuse crûment, vous comprenez… Riez
donc de moi.

— Rire de l'amour? dit Philippe.

— Oui. Mettez mon amour en pièces. Dites que
je suis folle, ou pire, dites que Gino est un goujat !
Traitez-moi comme Lilia jadis. Voilà le secours
que j'attends. J'ose vous faire cet aveu parce que

la sympathie pour vous et parce que vous
ez la passion ; vous regardez la vie comme un
ectacle ; vous n'y entrez jamais ; vous la trouvez
drôle ou belle. Ainsi, je puis me fier à vous pour
me guérir. Mr. Herriton, n'est-ce pas très drôle?
(Elle essaya de rire elle-même, mais prit peur et
dut s'interrompre.) Il n'est ni gentleman, ni chrétien, ni bon en aucune façon. Il ne m'a jamais
adressé un compliment, ou un hommage. Mais
parce qu'il est beau, cela me suffit. Le fils d'un dentiste italien, avec un joli visage. (Elle répétait
cette phrase comme une formule magique pour
préserver de la passion.) Oh ! Mr. Herriton, n'est-
ce pas très drôle? (Puis, au grand soulagement de
Philippe, elle se mit à pleurer.) Je l'aime, et je
n'en ai pas honte. Je l'aime et je rentre à Sawston,
et si je ne puis, quelquefois, parler de lui avec vous,
je mourrai.

Devant l'affreuse découverte, Philippe parvint
à s'oublier pour ne penser qu'à la jeune fille. Il ne
se plaignit pas. Il ne parla même pas avec bonté
à Miss Abbott : elle ne l'eût pas supporté. Ce qu'elle
demandait, ce qui lui était nécessaire, c'était une
réponse désinvolte, oui, désinvolte et un peu
cynique. Philippe, d'ailleurs, ne se sentait pas la
force d'en prononcer une autre.

— Peut-être s'agit-il, ma foi, de ce qu'on nomme,
en littérature, « un caprice »?

Elle secoua la tête. Même cette question se ré-

vélait trop émouvante. Si Miss Abbott p[...]
affirmer quelque chose d'elle-même, c'était[...]
la fidélité dans les passions, celles-ci une l[...]
éveillées.

— Si je le voyais souvent, dit-elle, je pourrais
me souvenir de ce qu'il est. De son côté, il pourrait
vieillir. Mais c'est un risque que je n'ose pas courir,
de sorte que rien ne me changera désormais.

— Enfin... si votre caprice disparaît, avisez-
moi.

Somme toute, il pouvait dire ce qu'il voulait.

— Oh! vous ne tarderez pas à le savoir.

— Mais, avant de vous retirer à Sawston...
êtes-vous absolument sûre?

— De quoi?

Elle avait cessé de pleurer. Il la traitait exactement comme elle l'avait espéré.

— Sûre du fait que vous le... (L'idée de leur
union le fit sourire amèrement. Voilà bien l'an-
tique malignité des dieux, telle qu'ils la déchaî-
nèrent jadis contre Pasiphaé. Des siècles de prières
et de culture n'en protégeaient pas le monde.) Je
voulais dire... qu'avez-vous de commun?

— Rien, sinon les moments où nous nous
sommes vus.

De nouveau, elle s'était empourprée. Il se détourna.

— Quels... quels moments?

— D'abord celui où, vous jugeant insouciant et

je suis allée, avant vous, demander l'en-
Tout a commencé là, pour autant que je
Le commencement pourrait encore dater
où vous nous avez menées au théâtre et où
u parmi cette musique et ces lumières. Mais
compris que le lendemain matin. Vous êtes
.. et j'ai su pourquoi j'avais été si heureuse.
tard, dans l'église, j'ai prié pour nous tous ;
ne demandais rien que la grâce de rester tels
que nous étions : lui, avec l'enfant qu'il aimait,
vous, moi et Harriet hors de danger, très loin, et
qu'il me fût donné de ne plus lui parler, de ne plus
le voir. Je pouvais encore me sauver, la chose ne
faisait qu'avancer sur moi, comme un rond de
fumée ; elle ne m'avait pas encore enserrée.

— Mais par ma faute, dit Philippe d'un ton
solennel, il a perdu l'enfant qu'il aime. Et parce
que ma vie était en danger, vous êtes venue, vous
avez accepté de le voir et de lui parler encore.

L'événement était, en effet, plus grand qu'elle
ne l'imaginait. « Je reste seul, pensa Philippe, à
pouvoir le saisir dans son ensemble. » Pour cet
effort, il se maintenait à une immense distance.
Il pouvait même se réjouir qu'elle eût une fois
tenu celui qu'elle aimait dans ses bras.

— Ne parlez pas de « faute ». Vous êtes devenu,
je crois, mon ami pour toujours, Mr. Herriton. Mais
ne soyez pas charitable, n'essayez pas de déplacer
ou de prendre sur vous le blâme. Cessez de me

croire affinée. Cette idée trouble votre jug
Écartez-la.

Elle était transfigurée en parlant, pa
soudain étrangère, en effet, aux finesses
aux grossièretés morales. Du terrible naufr
meurait, pour Philippe, la révélation d'une
indestructible : il l'avait reçue de la jeune fil
ne pourrait jamais la lui reprendre.

— Je vous le redis : ne soyez pas charita
S'il me l'avait demandé, je me serais peut-être
donnée à lui, corps et âme. Voilà comment aurait
fini pour moi la tentative de sauvetage. Mais il n'a
cessé de me traiter en être supérieur, en déesse.
Moi qui adorais tout de lui, de ses paroles. C'est
ce qui m'a sauvée.

Philippe fixait son regard sur le campanile d'Airolo. Mais ce sont les images du beau mythe d'En-
dymion qu'il voyait. Cette femme restait, jusqu'à la fin, une déesse. Nul amour ne pouvait être
dégradant pour elle : elle était hors de ce qui se
dégrade. Ce dernier épisode, qu'elle jugeait si vil,
qu'il jugeait si tragique, lui offrait, en tout cas,
une beauté suprême. Philippe se sentit porté à
une hauteur telle qu'il eût pu, désormais, sans
regret avouer à la jeune fille sa propre adoration.
A quoi bon? Tout le merveilleux était arrivé.

Il se permit seulement de dire : « Merci pour
tout. »

Elle tourna vers lui un regard de profonde

il lui avait rendu l'existence supportable.
stant, le train pénétra dans le tunnel du
thard. Ils se précipitèrent vers leur com-
nt pour lever les glaces : qu'un fumeron
s, n'entrât pas dans l'œil d'Harriet !

FIN

VÉ D'IMPRIMER SUR LES PRESSES
X & WYMAN LTD. (ANGLETERRE)

Nº d'édition : 1368.
Dépôt légal : août 1982.
Nouveau tirage : août 1990.